Lydia — For 2013

DRÔLE DE VIE LA VIE

DU MÊME AUTEUR

La Chambre du fond, Flammarion, 1993.
Passages nuageux, Flammarion, 1995.
La Reine des neiges, Flammarion, 1997.

Carmen Martín Gaite

DRÔLE DE VIE
LA VIE

*traduit de l'espagnol
par Claude Bleton*

Flammarion

Titre original : *Lo raro es vivir*
Éditeur original : Anagrama
© Carmen Martín Gaite, 1996
Pour la traduction française :
© Flammarion, 1999
ISBN : 2-08-067456-0

Pour Lucila Valente,
dont la tête émerge toujours
des ruines et des erreurs
avec son sourire de lumière.

*Il n'est pas possible de descendre
deux fois le même fleuve – de toucher
deux fois une substance mortelle dans
le même état –, étant donné qu'en raison de l'élan et de la rapidité des changements, il s'étale, se réunit, affleure et
disparaît.*

HÉRACLITE D'ÉPHÈSE

I

LA PLANÈTE DE CRISTAL

Il peut arriver qu'une chose tout à fait normale devienne extraordinaire du jour au lendemain, et qu'on en prenne conscience insidieusement. Dans la quantité innombrable de gestes, mouvements et lueurs qui viennent grossir la masse informe du quotidien, il en est un qui se sépare des autres, insignifiant en apparence, mais qui rebondit comme une note discordante sur une portée, résonne dans l'air comme le bourdonnement d'une grosse mouche, que se passe-t-il, est-ce une panne ou l'annonce d'un phénomène nouveau, nous examinons nos mains, nos genoux, qu'est-ce qui a changé, sur quoi concentrer notre attention, je me le demande. Survient alors la peur ou la paralysie.

Une secousse de ce genre m'attaqua par surprise il y a deux ans, le 30 juin, alors que je venais de garer la voiture dans un emplacement providentiel que j'avais repéré sous cet abri couvert de canisses délavés. Il était environ sept heures du soir. Une manœuvre impeccable, et pourtant je ne suis pas une experte, pour moi c'est toujours un miracle de ne pas heurter quelque chose ou de ne pas provoquer l'intervention d'un policier, j'avais fait le voyage en écoutant une bande de Sade, les lamentations déchirantes sont plutôt séda-

11

tives en anglais, elles libèrent le regard ; nuages mouvants, brise tiède, circulation fluide ; soudain je me sentis tendue et effrayée, incapable de retirer la clé de contact, je me raconte des blagues, tout va mal, attentive à ce qui allait survenir.

Je marchais avec précaution sur le gravier, avançant vers la façade que je ne connaissais pas, rassurée de constater que personne ne me suivait. C'était un jardin plutôt étique : massifs de buis, bancs de bois écaillés, fontaine avec une grenouille qui regardait en l'air et crachait un jet d'eau par la bouche. Une bonne brise s'était levée. On distinguait au loin le profil bleu de la montagne, et du côté du Valle de los Caídos * de gros nuages plombés s'amoncelaient, zébrés de traits de lumière.

Je montai quelques marches et m'arrêtai avant d'entrer. Certaines fenêtres étaient ouvertes, mais on n'entendait rien, aucune forme ne bougeait à l'intérieur. Il y avait sur la porte une pancarte dont la lecture me persuada que je ne m'étais pas trompée, majuscules sur céramique vert et bleu, et, en dessous, sur céramique aussi, protégée par un auvent, une Vierge du Perpétuel Secours de bonne dimension dans son attitude hiératique d'icône, les yeux au point mort, tenant sans enthousiasme l'enfant à la tête penchée qui ressemble à une asperge, tous deux mal nourris, elle coiffée d'une calotte ; presque toutes les vierges du monde semblent tenir les doigts de leur enfant par devoir et arborer un sourire plein d'appréhension, aïe, qu'est-ce qui m'attend, quand on aura terminé ce portrait et supprimé les anges d'ornement, je devrai affronter en même temps la maternité et la légende.

Je frissonnai en entrant. À gauche, derrière un comptoir vitré, se tenait une femme sans âge en peignoir blanc, les

---

* Basilique construite près de l'Escorial par les prisonniers républicains, entre 1940 et 1956, à la mémoire des victimes de la guerre civile. (N. d. T.)

12

cheveux rassemblés en chignon. La lumière qui entrait par les fenêtres à travers les voilages en mousseline était tout aussi blanche, elle rappelait le sol, les murs, les chaises et l'odeur, particulièrement blanche, et ténue comme l'alcool de romarin. La femme était au téléphone : en me voyant aussi figée, elle me fit signe du menton de l'attendre à l'écart. Je reculai de quelques pas et remarquai au bout du hall des silhouettes qui se déplaçaient derrière une porte en verre dépoli, légèrement entrouverte. De l'autre côté, il y avait sans doute un jardin, car des esquisses mouvantes de feuilles et de branches survolaient ces personnages qui se rejoignaient et se séparaient capricieusement, comme mus par le vent, selon un rythme irrégulier. J'entendais aussi leurs voix étouffées, et quand ils passaient devant la rainure de la porte entrebâillée, on les distinguait plus nettement, quoique fugacement, ce qui me permit de constater qu'ils portaient des habits sombres. L'un d'eux s'arrêta, se pencha pour me regarder, les yeux souriants et exorbités, me salua de la main et s'en alla en sautillant. Il portait une soutane de curé, mais c'était une femme.

Un peu plus tard, l'autre, la femme en peignoir blanc qui avait enfin terminé son coup de téléphone, actionna une sonnette fixée sur un socle métallique, comme celle des bicyclettes, et je compris qu'elle m'appelait. Je m'approchai.

— Je viens pour la chambre 309, dis-je. Pour don Basilio Luengo.

Elle battit nerveusement des paupières.

— Il faudrait d'abord voir le directeur. Il m'a demandé de l'avertir quand vous arriveriez. Il vous a attendue toute la matinée.

— Je n'ai pas pu venir.

Elle se leva sans me quitter des yeux, sortit de sa guérite transparente et me précéda dans un couloir à carreaux rouges et blancs. Elle s'arrêta devant une porte vitrée aux ferrures

13

artistiques. Elle l'ouvrit, actionna un interrupteur sur sa droite et s'écarta pour me laisser passer.

— Installez-vous dans la salle d'attente. Il ne va pas tarder. Si vous vous ennuyez, vous avez l'*Encyclopédie Espasa*.

Hormis l'*Encyclopédie Espasa*, soigneusement rangée dans une énorme bibliothèque en acajou qui occupait la moitié du mur, le mobilier de la pièce comprenait deux sièges anciens, une pendule et de nombreuses petites tables de jeu tapissées de feutre vert et disposées un peu partout. Sur la droite, à demi dissimulée par un rideau de damas vieilli, il y avait une estrade à laquelle on accédait par trois marches de bois. J'entendis du bruit derrière le rideau et je m'approchai. Un homme en bleu de travail était accroupi : il posait une prise. Des bouts de fil et des pinces traînaient par terre. Je le regardai travailler. Peu après il ramassa ses affaires, prit une grosse gargoulette blanche appuyée contre la plinthe et but longuement. Puis il éteignit la lumière qui éclairait l'estrade, descendit les marches et traversa la salle d'attente. Il portait une casquette en toile, la visière en arrière.

— Vous n'avez besoin de rien d'autre ? dit-il en s'arrêtant quelques instants devant moi.

— Moi ? Non, répondis-je après une imperceptible hésitation.

— Alors au revoir. Le fil était complètement grillé. Vous auriez pu avoir un court-circuit.

Puis il montra le portrait d'un vieillard barbu bardé de décorations qui présidait la salle, et l'applique de laiton doré en forme de corniche qui le surplombait.

— La lumière de ce monsieur, dit-il, je l'arrangerai un autre jour, parce que je suis déjà en retard.

Sans ajouter un mot, il se dirigea vers la porte par où j'étais entrée et il disparut.

Je commençais à trouver le temps long, d'autant que j'étais oppressée par tous ces volets hermétiquement fermés, alors que je savais pertinemment qu'il faisait encore jour. Il flottait une légère odeur d'humidité, pourtant je ne voyais pas de gouttières. La lumière rachitique qui se répandait dans la pièce venait d'appliques en albâtre orientées vers le plafond. J'étais toujours debout, en proie à un mélange d'anxiété et d'inquiétude. J'allumai une cigarette, mais je l'éteignis aussitôt, car elle me donnait des nausées.

Dans la bibliothèque de l'*Encyclopédie Espasa*, il manquait le tome « Espagne ». Je venais de m'en apercevoir, et je n'étais pas loin de soupçonner qu'il pouvait se trouver dans la chambre 309, quand je sentis une présence dans mon dos. Je me retournai, effrayée. Il y eut un silence bref, mais intense.

— Excusez-moi de vous avoir fait attendre, dit le nouveau venu en me tendant une main longue, jeune et ferme. Bienvenue.

La voix était celle du téléphone, mais beaucoup plus persuasive, car elle était parfaitement assortie à la silhouette et au visage de son auteur. Je me surpris à me demander avidement quelle pouvait être sa vision de moi, une curiosité oubliée, qui datait de mes quinze ans, suscitée par les hommes adultes qui m'attiraient au premier coup d'œil et m'enlevaient toute assurance. Je me rappelai soudain comment j'étais habillée et coiffée, je désapprouvai mon aspect et j'eus envie d'une douche et d'un déodorant. C'était un homme de haute taille, il portait un costume en lin gris marengo et une chemise blanche sans cravate. Il avait maintenant l'air beaucoup moins jeune, un air que contredisaient ses mains et sa voix, je lui donnai la cinquantaine, il était du genre à sourire sans sourire, un corps sain, quelques cheveux blancs. Nous nous regardions dans les yeux et je ne disais rien.

— Si vous voulez, nous pouvons nous asseoir ? proposa-t-il.

Et nous voilà, face à face dans ces sièges anciens, accoudoirs en bois noir rembourrés, tapisserie dans les tons jaunes. Je me taisais toujours, mais je ne parvenais plus à le regarder dans les yeux. Je continuais de sentir les siens sur moi et mon cœur battait la chamade.

— Je suis étonné de voir à quel point vous ressemblez à votre mère, dit-il. Je suppose qu'on vous l'a dit des centaines de fois.

— En effet, on me l'a déjà dit. Toutefois, ces derniers temps... enfin, depuis déjà quelques années... mes amis et les siens n'appartiennent plus au même milieu, autrement dit... enfin, il n'y avait plus guère d'occasions de comparer.

— Vous voulez dire que vous ne voyiez plus votre mère ?

— Disons que nous avions des rapports distants.

— Je vous présente quand même mes condoléances, dit-il d'une voix grave, et je m'associe à votre douleur, à la douleur causée par son décès, petite ou grande. C'était une femme extraordinaire.

— Merci. Je le sais.

— Et elle vous aimait beaucoup.

— Ça, je l'ignorais. Mais c'est sans importance, ajoutai-je en relevant les yeux vers l'homme de haute taille, avec une dureté soudaine qui espérait anéantir les éventuels arguments qu'il pourrait m'opposer. Je ne suis pas venue pour discuter de cela, vous le comprendrez.

Je me repentis aussitôt, pinçant mes lèvres qui se reflétèrent dans son regard doux et ironique, au bord de la compassion, comme dans un miroir déformant. C'est une moue qui me donne quelques années de plus.

— Fichtre ! Vous savez donc à l'avance de quoi vous êtes venue discuter ?

Je sentis que je perdais pied, mais je refusai de baisser la garde.

16

— Non, je n'en ai aucune idée. Je vous rappelle que c'est vous qui m'avez convoquée, que c'est vous qui avez manifesté le désir de me rencontrer.

— Cela vous gêne de parler ?

— Non, pas du tout. Excusez-moi d'avoir adopté ce ton. Je suis un peu sur la défensive. Mais cela me fait du bien de parler avec quelqu'un, oui. Et s'il s'agit d'un inconnu, c'est encore mieux.

— Alors, détendez-vous et laissez-vous aller. D'après votre grand-père, ceux qui écrivent la table des matières avant d'écrire le livre ne vont pas au fond des choses. Je lui demande parfois s'il a déjà écrit un livre, mais il soutient que non, du moins qu'il n'en a pas souvenir, car la mémoire est perfide, dit-il. Naturellement, j'ai plutôt l'impression que c'est lui qui est perfide.

Il souriait en me regardant. Je lui renvoyai timidement un sourire. Il savait beaucoup de choses, l'homme de haute taille. Il me faisait un peu peur. Huit heures moins le quart sonnèrent à la pendule.

— Excusez-moi, dis-je, cela ne vous dérangerait pas d'ouvrir les volets ? La lumière électrique m'angoisse un peu.

Il hésita.

— Vous savez, il y a un petit inconvénient. Toutes les fenêtres donnent sur le jardin de derrière, où ils se trouvent actuellement. Pour eux c'est l'heure de se défouler avant le dîner. Cette pièce les fascine. S'ils découvrent que nous avons ouvert une brèche, aussi petite soit-elle, ils se bousculeront pour regarder, et adieu l'intimité. Je n'ai pas l'impression que ce soit votre souhait.

— Oh non, quelle horreur, je n'en ai pas envie du tout !

— Et moi encore moins. Rendez-vous compte que je suis leur berger toute la journée. Cependant, ajouta-t-il en se levant, nous pouvons apporter une petite amélioration. Les lumières du plafond donnent une ambiance de veillée funèbre.

Il alla chercher un lampadaire et le brancha près de nous. La lumière qu'il diffusait était puissante et légèrement bleutée. Puis il éteignit le plafonnier à la porte.

— C'est mieux, n'est-ce pas ? demanda-t-il en se rasseyant et en croisant les jambes. Un peu plus intime.

— Oui, beaucoup mieux. Merci. Au fait, mon grand-père aussi est dans le jardin ?

— Non, il quitte à peine sa chambre, ou alors en fin de soirée, pour parler avec les étoiles. En général, il mène une vie à part. Car c'est un cas à part.

Il y eut un silence qui me parut beaucoup trop long. Je ne savais comment le rompre. « Eh bien, je vous écoute » était une phrase bateau, mais si banale que je la barrai avant de la voir s'inscrire dans une petite bulle de bande dessinée sortant de ma bouche. Je rectifiai mon attitude indolente. Il fallait que je commence, d'une manière ou d'une autre.

— Mon grand-père sait-il que je suis venue le voir ? demandai-je. L'avez vous averti de ma présence ?

— Non. Je voulais justement vous en parler. Je ne l'ai pas averti, et je n'ai aucunement l'intention de le faire. Il croit que c'est elle qui doit venir. C'est elle qu'il attend.

La pièce se mit à tournoyer, s'élançant vers une orbite inconnue. Ou plus exactement une autre planète s'approchait en tournoyant, et elle risquait de percuter la nôtre. Maman était à califourchon sur cette planète dont les parois de cristal permettaient de voir tout ce qui se passait à l'intérieur. Il ne s'y passait d'ailleurs rien d'étonnant, il s'agissait plutôt d'une réplique de la scène que nous étions en train de jouer en ce moment même, l'homme de haute taille et moi, à la différence que, à l'abri de ces parois transparentes, c'était avec maman qu'il parlait, et non avec moi. Il se penchait vers elle et lui tendait un mouchoir blanc pour qu'elle s'essuie les

18

yeux, car elle versait des larmes cristallines comme celles qui baignaient le visage des pièta, même décor, et la lumière bleue qui arrivait par rafales, semblable au faisceau d'un phare, reflétait celle du lampadaire que nous venions d'allumer pour obtenir un peu d'intimité ; maman avait les épaules qui tremblaient, que se disaient-ils ? Je ne les entendais pas vraiment, on percevait à peine le vrombissement strident de cette planète oblongue qui survolait nos têtes à la manière d'un zeppelin décrivant des spirales de plus en plus vertigineuses, si basses, si rasantes que je me sentais prise de panique. Nous allions nous désintégrer dans l'espace, cet inconnu et moi, avant qu'il ait eu le temps de me raconter l'histoire. Il n'y avait pas d'issue. Tout tournoyait.

Je me bouchai les oreilles, fermai les yeux très fort et me repliai en avant, cherchant la protection d'un corps dont les soubresauts pourraient accompagner ceux de mes propres spasmes.

— Qu'avez-vous ? Ça ne va pas ?

— Non, pas du tout...

Je m'affaissai sur le tapis, sentis ses mains sur mes cheveux et m'évanouis.

Ensuite, sans doute presque aussitôt après, nous nous retrouvâmes côte à côte sur le canapé tapissé de jaune : il prenait mon pouls. L'expression de son visage, certes inquiète, n'inspirait toutefois aucune alarme, plutôt la sécurité et la douceur. Le plus drôle, c'est que je me souvenais de tout, que je n'avais pas besoin de dire : « Où suis-je ? », « Que s'est-il passé ? » ou « Qui êtes-vous ? », je m'abandonnais simplement au bonheur de me savoir protégée et de constater que l'on n'entendait plus les trépidations de cette planète de cristal qui avait failli rentrer en collision avec la nôtre.

— Vous avez bu cette après-midi ? Vous avez pris de la drogue ? interrogea-t-il, les yeux fixés sur sa montre bracelet.

19

— Non.

— Renversez la tête en arrière, s'il vous plaît. Respirez profondément, plus lentement. Voilà, à ce rythme.

Je laissai nonchalamment ma main gauche sur ma jupe rayée, je me demandai pourquoi j'avais mis une jupe aussi laide. Avant d'écarter les doigts, il esquissa sur les miens une brève caresse, peut-être trop professionnelle. Mais l'était-elle vraiment ?

— C'était un vertige étrange, dit-il. Et si soudain ! Vous n'êtes pas enceinte ?

— Enceinte, moi ? protestai-je. En aucune façon. Dieu m'en préserve ! Je ne veux pas d'enfants, jamais. Jamais de la vie !

— Alors prenez vos précautions, parce que vous êtes très jolie, et de grâce ne vous énervez pas.

Il me tendit un mouchoir blanc, et c'est alors que je compris que j'étais en larmes.

Je lui savais gré de ne rien me demander. Tandis que j'essuyais mes larmes, je le soupçonnais, si je lui racontais cette histoire de planète, de refuser de fouiller dans mes éventuels complexes d'Œdipe et de vouloir me dire : « Si vous avez cru la voir, c'est qu'elle est passée. Nous ne voyons pas tous les mêmes choses. » Ce soupçon, ou plutôt cette chimère, me donna la force de me lever et de traverser la pièce jusqu'à l'estrade où j'avais vu travailler l'homme en bleu de travail. J'avais soudain très soif et je me rappelais que la gargoulette devait encore être là. En la soulevant, les bras tendus et légèrement arqués, et en laissant tomber le jet frais dans la bouche, je ressentis son effet apaisant et j'eus la confirmation de l'élasticité de mon corps, qui lançait à mon esprit des idées claires et l'envie de vivre. L'existence de cette gargoulette confirmait d'autre part que l'électricien n'avait pas été une apparition fantomatique. En ce cas, pourquoi ma mère versant des larmes de cristal en aurait-elle été une ? Les deux événements s'étaient déroulés dans la même pièce. Quelques gouttes d'eau glissèrent dans mon décolleté et je les séchai avec son mouchoir, que j'avais glissé dans la poche de ma veste. Puis je revins lentement sur mes pas, me délectant de leur cadence. L'homme de haute taille m'avait qualifiée de jolie. Maintenant, il devait observer ma façon de marcher.

— Je suis sûre qu'il va y avoir de l'orage, dis-je quand je fus près de lui. Merci pour le mouchoir.

Il y jeta un bref coup d'œil en le reprenant. Je ne me maquille pas. Il n'y avait donc aucune tache. Il le replia.

— Voulez-vous que l'on continue de parler de votre grand-père ? demanda-t-il après une courte pause. Ou préférez-vous y renoncer ?

— Je préfère continuer. Pourquoi disiez-vous que c'était elle qu'il attendait ? Il sait pourtant qu'elle est décédée. Huit semaines se sont déjà écoulées.

Il me regarda avec gravité.

— Justement. Et pendant ces huit semaines, le membre de sa famille le plus proche, vous sauf erreur de ma part, n'a même pas téléphoné, et ne serait peut-être même pas venu si je n'avais décidé de vous appeler. Je me trompe ?

— Non, vous ne vous trompez pas.

— Et qu'est-ce que vous vouliez ? Que ce soit moi qui le lui annonce ? Je me suis contenté de mettre hors de sa portée les journaux qui n'ont cessé de parler d'elle pendant deux jours. Remarquez, je me demande si cela a servi à quelque chose.

— Vous voulez dire qu'il en a peut-être lu un ?

— Possible, mais en général il ne s'intéresse pas aux journaux. Il préfère l'*Encyclopédie Espasa*. Il dit qu'il n'y a rien de plus amusant au monde.

Je me tournai vers l'emplacement laissé vide par le tome « Espagne ». Maintenant, j'étais sûre que c'était lui qui l'avait pris. Et je fus submergée, comme si des trombes d'eau s'écrasaient les unes sur les autres, par tous les changements survenus dans notre pays depuis la parution de cette encyclopédie. Comment le grand-père avait-il vécu ces mutations, et plus particulièrement celles de ces dernières années, dans lesquelles ma propre croissance, ignorée, hésitante et maladroite, tentait de se frayer un passage ?

— Il a parlé de moi ? demandai-je.

— Non. Ni d'elle. C'est drôle ! Il ne demande pas de ses nouvelles, ne la nomme pas. Avant, sauf quand elle était en voyage, et dans ce cas elle lui envoyait des cartes postales, elle venait lui rendre visite une ou deux fois par mois, mais jamais à date fixe, un détail qui l'enchantait. Ces visites, qui se prolongeaient très tard, n'avaient rien à voir avec celles que les familles rendent à leurs parents âgés, à l'évidence, pour eux deux, ces visites n'étaient en rien une obligation pénible, au contraire, ces rencontres avaient un côté agréable qui les ravissait, vous savez, je peux lire ce genre de détails sur les visages, même si rien n'affleure, mais il faut avouer que votre mère et votre grand-père me facilitaient les choses. Surtout lui : manifestement, il savourait ces visites, thésaurisant l'attente et la souvenance. « C'est sûrement aujourd'hui que ma fille va venir », me disait-il soudain un matin. Et le plus souvent c'était vrai. Et n'a plus rien dit. Il me parle moins. Il ne lui a pas téléphoné pour savoir s'il lui était arrivé quelque chose, j'ai prévenu la réception de m'avertir s'il le faisait. Ils maintenaient une sorte de pacte, m'a-t-elle raconté un jour : ne pas se déranger par téléphone, sauf en cas de force majeure.

— C'est bien de maman, cette attitude, dis-je comme pour moi-même. Mais une chose m'intrigue : qui aurait pu mettre le grand-père au courant ? Vous connaissez Rosario Tena ? Cela vous dit quelque chose ?

Il eut un geste vague.

— Elle a partagé le studio de ma mère ces dernières années, expliquai-je sans cesser de le regarder.

— Ah oui. Mais elle n'est pas venue ici.

— Elle a peut-être écrit.

— Non plus, je vous assure.

— Alors je ne sais pas, laissez-moi réfléchir...

Il haussa les épaules.

— Pas la peine. Il est aussi difficile de deviner par quelles voies don Basilio reçoit des informations que d'en savoir la nature. Mais quelle importance ? La seule chose qui compte, c'est l'alchimie à laquelle il les soumet ensuite, dans la mesure où elles lui parviennent. Son opiniâtreté à transformer ses chimères en mode de vie est un comportement inébranlable et rédempteur. Cela lui permet de résister. Et je peux vous assurer – continua-t-il sur un ton solennel, comme s'il prononçait un verdict – qu'il continuera de l'attendre jusqu'à ce qu'elle revienne.

Il me regardait maintenant avec le sourcil gauche légèrement haussé. C'était une expression complice, une demande d'approbation. Je sus que c'était à elle qu'il lançait ce regard et qu'il s'adressait, comme auparavant à l'intérieur de la planète de cristal. Il considérait qu'elle avait réapparu. Je sursautai et me détournai.

— Vous me proposez de la remplacer ?

— Je voudrais simplement savoir si vous acceptez de collaborer avec moi. Tout dépend de votre tempérament et de votre aptitude à accepter les jeux dangereux. À vous d'avancer un pion ou de quitter la table.

Une sorte de vague de feu monta en moi et parut me libérer. Feuilles sèches et papiers d'archives se consumaient dans ce brasier.

— Il y a bien longtemps que je ne joue plus à rien. Que faut-il faire ? demandai-je. Vous devez éclairer ma lanterne.

— Bien entendu. Vous aussi, d'ailleurs. Nous nous

connaissons à peine. Mais pour commencer, il vaudrait mieux s'accorder un minimum de confiance.

Je lui tendis la main.

— En ce qui me concerne, c'est accordé.

— Pas si vite. Chaque chose en son temps, répliqua-t-il sans lâcher la main qu'il serrait dans les siennes. Il faut laisser venir les choses. Mais c'est un début encourageant. D'ailleurs, vous gagnez beaucoup à sourire.

— J'en prends note. Autre chose ?

— Oui, bien sûr, beaucoup d'autres.

Ce 30 juin, je ne vis pas mon grand-père. Quand nous voulûmes nous en préoccuper, il était trop tard, et l'homme de haute taille dit que nous avions défini les bases de notre jeu, mais qu'il valait mieux s'accorder une trêve pour agir sans précipitation. Attendre l'occasion propice. Il ne rentra pas dans les détails. Je compris que nous étions déjà en train de jouer.

— Permettez-moi de vous baiser la main, dit-il en prenant congé dans le hall d'entrée. Votre mère adorait cela.

La nuit était tombée et de gros nuages s'accumulaient au-dessus de nous. Je traversai le gravier sans me retourner et quand je démarrai il n'était plus là. L'orage éclata juste avant d'arriver à Madrid, dans la Cuesta de las Perdices. Au moment où Sade chantait :

There's a quiet storm
and I never felt this hot before...

J'ouvris les fenêtres de la voiture pour respirer l'odeur de terre mouillée.

II

Premiers mensonges

Les jours qui suivirent sont liés dans mon esprit à la nécessité péremptoire de continuer cette histoire, et pourtant je pressentais que ce n'était pas moi qui allais manier l'aiguille pour la coudre. Mais mes nœuds intérieurs m'empêchaient de me désintéresser d'une prolifération de décisions qui surgissaient à mon insu et s'effeuillaient continuellement aussitôt formulées. Il m'est souvent arrivé, à l'époque des nœuds, d'être incapable de reconnaître qu'ils s'étaient dénoués sans mon intervention. D'une fois sur l'autre l'expérience ne sert à rien, au contraire, elle fait l'autruche. Au bout de plusieurs jours, consciente que les eaux étaient retournées dans leur lit, je disais : « C'était si facile ! » et je regrettais l'entêtement qui avait précédé, mais quand celui-ci se reproduit et tisse ses ramifications autour d'un nouveau sujet de réflexion, je persiste à penser qu'il n'est pas inutile de s'y arrêter.

En outre, le grand-père suscitait beaucoup d'autres sujets de réflexion, ce que j'avais voulu occulter lorsque j'avais considéré que prendre la voiture pour aller lui rendre visite le 30 juin était une simple formalité – justifiée ou non, mais exempte de danger. Dès le lendemain, impossible d'ignorer le déferlement des eaux résiduelles qui envahissaient des territoires moins aisés à décrire et à baliser. Les conduites souterraines s'étaient rompues pendant la nuit ; justement, lors d'un rêve que je fis, papa, très en colère contre moi, me demandait des explications sur les mauvaises odeurs qui envahissaient la villa où il vit maintenant ; son enfant s'était réveillé en disant : « Caca, caca ! » On avait fini par découvrir un grand trou à côté de la piscine et aussitôt papa, qui pourtant ne se distingue guère par sa perspicacité, avait deviné que ce bouillonnement de cochonneries qui embourbaient le jardin sortait de mon puits noir. « Tu ne vas pas me dire le contraire ? » « Bien sûr que non », avais-je répondu. Il faisait de grands gestes, portait des lunettes fumées à monture fluorescente et exigeait, en montrant son pantalon souillé de boue, que mon mari envoie au plus vite un ouvrier de son équipe – il parle toujours de Tomás en disant « ton mari », bien qu'il sache qu'il ne l'est pas.

J'eus d'autres rêves peuplés de tuyauteries et de câbles non réparés, mais je m'en souviens moins nettement que de celui-ci. Je sais seulement que dans l'un apparaissait l'homme en bleu de travail qui disait : « Vous avez failli avoir un court-circuit. » À ses pieds se tordait une sorte d'intestin emmêlé.

J'ouvris un œil au petit jour, avec un gros mal de tête, et je ne pus retrouver le sommeil, pourtant le réveil n'avait pas encore sonné. Alors que je me servais du café et me préparais des toasts pour le petit déjeuner, Tomás appela de la province de Jaén, où ils construisaient des lotissements. Il dit qu'il me trouvait une drôle de voix.

— Je ne t'ai pas réveillée, au moins ?

— Non, lui dis-je. C'est mon père qui m'a réveillée avec des histoires bien à lui qui m'ont mise de mauvaise humeur. Il a des problèmes avec son évacuation d'eaux usées. Il veut que tu passes y jeter un coup d'œil. Comme si tu n'avais rien d'autre à faire !

— Que je passe où ? s'étonna Tomás.

— À sa villa de Las Rozas.

— Il a une villa à Las Rozas ? Première nouvelle.

— Eh oui. Il nous l'a annoncé le jour de l'enterrement de maman. Dans une résidence. Ils ont déménagé il n'y a pas longtemps, ils quittent définitivement l'appartement de Madrid, un changement de standing. Tu sais, avec l'ennui, les gens se compliquent la vie, or Montse s'ennuie. Papa veut que j'aille les voir, il m'a dessiné un plan, je t'en ai parlé, tu ne t'en souviens pas ?

— Non, dit-il, mais peu importe. De toute façon, je trouve choquant que ton père appelle, surtout pour me demander un service, alors que nous nous connaissons à peine.

— Que veux-tu que je te dise ?

— Tu lui as expliqué que j'étais en déplacement, j'imagine.

— Non, je ne lui ai rien dit. Si ça se trouve, il a déjà oublié. Il est comme ça.

Il y eut soudain un silence pesant. Je bus une gorgée de café au lait, et regardai l'heure.

— Et toi, comment te sens-tu ? demanda-t-il.

— Moi ? Très bien.

— Tu es sûre ?

— Oui, évidemment. Pourquoi ?

— Je ne sais pas, tu as une voix qui ne te ressemble pas. Je donnerais n'importe quoi pour te voir en ce moment.

— Tu le regretterais. Je suis horrible.

— Impossible.

— Je t'assure ! Dans le genre mutant par-dessus le marché. Habillée en marron, toile de bure avec des motifs or et mauve en relief, les cheveux blond platine et des varices partout. Ah, j'oubliais, je me suis aussi fait opérer le nez ; mais attention, pour le raccourcir, pas pour le rallonger.

Pendant que je dévidais cette ribambelle de sottises, j'imaginais parallèlement une séquence ciné dans laquelle une femme téléphone et déplace le combiné plus haut ou plus bas pour se laisser caresser par son amant. Par mimiques, elle lui demande d'être un peu plus discret. C'est une scène qu'on a souvent vue, mais je n'en ai jamais été la vedette. Dans ce délire érotique, les mains de mon amant étaient celles de l'homme de haute taille.

Tomás éclata de rire.

— Allons, ne dis pas de bêtises. Tu es allée voir ton grand-père ?

— Oui.

— Et alors ?

— Rien, il dormait. Il faudra que j'y retourne. D'après ce qu'on m'a dit, il aurait très bien pris la mort de ma mère. Tu sais, c'est la seule chose qui me préoccupait. Et toi, quand reviens-tu ?

— Je crois que j'en ai encore pour une semaine. Tu sais, tu aurais dû demander un congé, et plaquer grand-père, père et toute la famille. En fin de compte, pour ce qu'ils se sont occupés de toi...

L'homme de haute taille entreprit de déboutonner mon pyjama. Il agissait lentement, sans cesser de me regarder. Je pris cette main dans ma main gauche, la tournai en l'air et l'embrassai, d'abord la paume, puis les doigts, un par un. Il n'opposait aucune résistance. Toutefois, le fait d'ignorer son nom bloquait régulièrement l'envol de mon fantasme.

— Tu avais besoin de te reposer et ici le pays est magnifique, poursuivait Tomás. Pourquoi ne viens-tu pas ? Il y a un hôtel dans la montagne de Cazorla, à quelques kilomètres du chantier, avec une vue incroyable, loin de tout, pas un bruit, un vrai paradis.

— Merci, mais tu sais ce que je pense des paradis. En outre, on m'a donné une semaine à la mort de maman, et je ne veux pas prendre mes vacances avant le mois d'août.

Rien de tel que le travail pour me changer les idées.

— Alors tant pis, du moment que tu te sens bien.

— Je vais bien, je te l'ai déjà dit. Écoute, chéri, je vais être en retard, je t'assure, et mon café refroidit.

Quand je raccrochai, je me rendis compte avec ahurissement que j'avais servi deux énormes mensonges à Tomás, sans la moindre raison : un, que mon père avait appelé ; deux, que le grand-père dormait. Et je les avais inventés presque malgré moi, à mesure que je parlais. Des mensonges qui n'étaient ni pieux ni défensifs, mais fatals, le genre de mensonge qui cloue son dard de guêpe par traîtrise. Soudain, il y a une cloque qui se met à vous démanger et vous vous croyez responsable de quelque chose. J'entrevis que ces deux affirmations auraient des conséquences, que je reconnaisse avoir menti ou le contraire. Tomás est un adepte fervent et convaincu de la logique, sainte mère, une cargaison d'explications se profilaient, heureusement il ne revenait que dans une semaine. Une petite lumière rouge s'alluma en moi et clignota un moment, mais elle s'éteignit sous la douche.

De toute façon, je notai que la visite au grand-père avait exposé aux intempéries des fils de toute nature qui étaient sur le point de provoquer un court-circuit.

Mon erreur fut de croire qu'en me lançant à fond dans mon travail – seule résolution rassurante adoptée en me séchant les cheveux – j'allais prendre un chemin qui m'éloignerait de ce fouillis inextricable.

III

Descente dans la forêt

Moi, quand je prends le métro, je réfléchis toujours beaucoup, avec en prime des courts-circuits sous haute tension, des éclairs qui provoquent des questions sans réponse et débouchent sur mes propres erreurs de parcours, dans les étapes ombreuses de ce voyage intérieur où s'accentue la disjonction entre la logique et les terreurs. Je le savais depuis ma plus tendre enfance et j'en avais peur, mais cela m'attirait aussi ; évidemment, à l'époque le désarroi de me sentir vivante parmi des inconnus était compensé par le recours systématique à celle qui me servait de lien avec le monde, et qui surtout en savait long sur les voyages souterrains : ma mère.

J'appelais ces trajets en métro des « descentes dans la forêt ». Toutefois, je ne compris que bien plus tard que cette métaphore, comme toutes les autres, avait le pouvoir de conquérir d'autres territoires. J'ignorais ce qu'était une métaphore, mais j'en inventais beaucoup, comme tous les enfants un peu dégourdis.

Plus tard, dans mon étape d'adolescente fanfaronne, je descendais dans le métro comme on accepte une invitation risquée, en sachant pertinemment que les trajets souterrains ne sont jamais innocents, et qu'ils finissent par vous compromettre. Depuis dix ans, j'évite ce moyen de transport urbain, je préfère circuler en surface. Il paraît que le métro est devenu très dangereux dans les grandes villes, mais ce n'est pas pour cette raison, j'évite par principe les descentes dans la forêt, dans toutes les forêts qui se multiplièrent de façon insensible et progressive après cette première métaphore enfantine.

« Les compromissions commencent avec les jambes des gens ; ce sont des arbres, mais pas seulement », me dis-je en ce premier jour de juillet, juste après avoir pris un métro au vol – comme si j'avais été happée par un wagon – et subi pressions et bousculades après la fermeture des portes. Je n'en revenais pas de voir combien les jambes des gens sont différentes les unes des autres – et même des miennes –, bien qu'elles soient toutes identiques en apparence et supportent un poids invisible, celui du cerveau qui tente de rester vigilant, celui des membres fatigués, celui de l'estomac qui digère le petit déjeuner, celui des poumons saturés qui aimeraient lâcher un soupir, certaines jambes sont nues, d'autres engoncées dans des pantalons ou des bas aux couleurs et aux textures variées, prolongés par des chaussures qui cherchent à l'aveuglette un creux où enraciner leurs attitudes ; en effet, les pieds et les jambes ont un geste qui leur est propre, pas seulement en marchant, mais aussi quand ils s'appuient contre une barre ou une porte, et surtout quand ils passent du repos au mouvement. Classer les jambes en fonction de leurs gestes afin d'explorer les passages secrets de l'âme serait un travail colossal, un travail d'équipe bien entendu, mais il faudrait – complément indispensable aux données objectives – le témoignage des proches, c'est-à-dire de tous ceux pour qui le déplacement de ces colonnes vivantes aurait été un jour caractéristique et se serait imprimé dans les coulisses de leurs regards, prêt à revivre à la moindre occasion, même s'il s'agit d'une personne décédée ou demeurant dans un endroit inconnu. Peu importe que nous soyons au vingt-troisième étage d'un immeuble à Atlanta ; si nous regardons par la fenêtre et voyons tout en bas, dans le fourmillement bruyant de l'avenue, quelqu'un traverser en avançant la jambe droite avec ce geste particulier, notre cœur bat la chamade, un nom jaillit spontanément de nos lèvres, que peut bien faire cette personne dans cette ville, ou bien nous battons en retraite, touchés dans le dos par la flèche empoisonnée de l'hallucination ; ce n'est pas possible, même si nous sommes prêts à jurer que ça l'est, et nous fermons les yeux en nous rappelant le chant des oiseaux le jour de son enterrement.

Les témoignages des proches seraient classés, naturellement, dans des fichiers à part, on pourrait donner du travail à de nombreux sociologues au chômage, en fonction des subventions, il ne semble pas que ce genre de recherches – qui rattachent les gestes à la conduite – ait un grand intérêt à l'heure actuelle, cela implique de fouiller en terrain marécageux.

Mais pour moi, le plus étonnant, c'était que mes élucubrations, au lieu d'être asphyxiées par tous ces va-et-vient, piétinements et coups de coude, me recentraient sur les différences et ressemblances que mes voisins de métro m'offraient en dessous de la ceinture, et me laissaient en même temps remâcher un autre problème, en soi plutôt intrigant : Pourquoi avais-je pris le métro ce matin, et par-dessus le marché à une heure de pointe ?

Quand j'étais sortie de chez moi, j'avais ma voiture devant la porte, une chance incroyable vu le développement du quartier, mais je l'ignorai, je poursuivis mon chemin et pris la première rue à droite, tout en fredonnant une vieille rengaine à moi, « Drôle de vie la vie » : j'étais étonnée de la trouver vieillie, pourtant les paroles, les accords et le chagrin d'amour qui l'avaient inspirée saignent encore sur les murs récents d'une mansarde à papier peint bleu, mon premier refuge quand je m'étais enfuie de chez ma mère, comme c'était loin, comme c'était près, comme c'était drôle...

> *Drôle de vie la vie,*
> *rock de cœur et de pique,*
> *entre rockeurs de vie,*
> *les chagrins amputés,*
> *rock de survie rêvé.*

Je marchais sans me presser, pourtant je savais que j'étais en retard et on ne peut pas dire que la bouche de métro, c'est la porte à côté, ou plus exactement je ne me rendais compte de rien. Ensuite, je me suis retrouvée sur le quai et, portée par la marée humaine, j'ai été propulsée dans un des derniers wagons, je ne m'étais posé aucune question, pas même si la ligne choisie était la bonne ou si j'aurais besoin de changer, c'était la première fois que j'empruntais ce moyen de transport pour me rendre à mon travail.

« Mais dans ce cas comme dans d'autres, les moyens et les fins peuvent diverger ou converger, réunis par un maillon fortuit », continuai-je de penser tandis que je changeais de position pour essayer d'imbriquer mon corps dans celui des autres, comme on emboîte les pièces d'un puzzle. « En réalité, sans savoir pourquoi j'ai été tentée aujourd'hui de descendre dans la forêt pour divaguer, pour rompre les liens avec ce qui est prévisible. »

J'avais voulu me frayer un chemin vers un quai où l'espace semblait plus dégagé, mais je m'étais arrêtée dans le couloir, respirant profondément, tel un nageur fatigué, et m'accrochant à la bouée de ces quatre mots : « Descendre dans la forêt. » Je cherchais à me rappeler le temps où j'avais entrevu leur pouvoir de métaphore, quel événement m'avait aidée à le comprendre, « c'est une chose qui se propage à d'autres choses, avait dit ma mère, qui les contamine ; la forêt, tu peux la retrouver intérieurement, ou dans une chambre, alors tu vois des arbres là où il n'y en a pas », mais où étions-nous quand elle avait dit cela ? et pourquoi était-ce venu dans la conversation ? j'essayais de ressusciter mon visage d'enfant surprise, c'était probablement en été, et il y avait quelqu'un d'autre, était-ce encore mon père ? Forcer un souvenir à sortir de sa cachette exige une concentration que je n'avais pas, comme se frayer un chemin à travers les fourrés consécutifs aux forêts en question, là-dessus tombe la brume, il fait nuit, des loups vont peut-être sortir, mais c'est là que les mystères sont enfermés, et celui qui ne descend pas dans la forêt n'a qu'à s'en aller, il faut fermer les yeux. Et peut-être prier.

On me poussa et je me retrouvai assise sur un siège que quelqu'un venait de libérer. Je sentis quelqu'un tirer sur la courroie de mon sac et je me retournai. C'était un enfant en bas âge dans les bras de sa mère, elle était distraite et remuait les lèvres en regardant dans le vide, l'air épuisé. L'enfant m'interrogeait en souriant, les yeux très noirs incrustés dans un visage d'ivoire, le voilà complètement intégré à mon orbite. À mon tour, j'avais besoin de lui transmettre ma question, comme dans certains jeux de devinette. Je me penchai vers son oreille et je lui dis tout bas : « Mé-ta-pho-re ». Il se mit à agiter les mains, ravi, se débattant comme s'il était prisonnier dans le giron familier et hostile de sa mère, qui ne se rendait toujours compte de rien, incapable de jouer, absente et perdue dans ses préoccupations.

« Pelle ! » dit l'enfant. Et il me tendit les bras. Cela ressemblait à « belle ».

Je cédai au soupçon qu'il voulait venir avec moi. Je me levai brusquement, sans plus le regarder, et me frayai un passage en jouant des coudes, comme un malfaiteur, fuyant l'ébauche de caprice que j'entendais dans mon dos. J'arrivai devant la portière au moment où nous quittions une station et j'eus à peine le temps de voir le panneau qui avait presque disparu. « Prochain arrêt, correspondance avec la ligne 5 », annonçait en même temps le haut-parleur. Bon, un peu de cervelle, cette station pouvait me servir, je calculai qu'elle n'était pas trop loin de ma destination. Je pourrais encore, en pressant le pas, arriver presque à l'heure.

Pour me rappeler où je me dirigeais, je dus secouer sérieusement ma léthargie. Ces gens savaient où ils allaient, alors que j'avais failli perdre toute notion de destination, pour un peu j'étais confondue et annulée par des mouvements étrangers aux miens, j'avais failli supprimer le lien fragile entre les caprices de la houle et le cap des bateaux, encore une métaphore, d'ailleurs plutôt banale ; j'avais envie de remonter à la surface, là où les maisons sont des maisons et les rues des rues, et rien de plus ; je marcherais un moment dans les quartiers que je connais et cela m'aiderait à m'aérer la tête.

Je poussai cependant un soupir emprunt de nostalgie. Obéir à ce commandement revenait à assassiner mes embryons de pensée impromptue : interdire tout accès aux spermatozoïdes qui se précipitent pour féconder un ovule, ou bien les détruire quand ils ont réussi à entrer, moi j'avais toujours choisi la première tactique, avorter me terrorisait. Stop, je ne voulais pas encourager cette nouvelle métaphore, qui était de celles qui démangent, je descendrais à la prochaine ; la forêt, terminée.

— Pardon, vous descendez ? demandai-je à une veste interposée entre la mienne et la porte.

Ma joue était encastrée dans ses épaulettes. C'était une veste en coutil assez usée, imprégnée d'odeur de tabac. Son propriétaire se tourna de profil et, avec un demi-sourire, il répondit oui et prononça mon nom. Il portait des lunettes noires et était maigre. Je le connaissais, naturellement, mais je ne me rappelais pas d'où.

Une fois sur le quai, il m'embrassa avec effusion et nous nous dirigeâmes vers la sortie. Il avançait à grandes enjambées, mais lentement, de façon désordonnée.

— Tu as vraiment l'esprit ailleurs, ma vieille ! Si ça se trouve, tu ne te rappelles même pas qui je suis !

— Oh que si ! Mais il y a si longtemps que nous ne nous sommes pas vus...

— Tu veux dire qu'il y a une paye, et comment ! Mais toi, tu es toujours dans la lune ! Je te regardais, dans le métro, et j'avais une de ces envies de rire... Tu avais l'air de parler toute seule et, naturellement, tu ne m'as même pas vu.

— Tu me regardais ? Excuse-moi, je n'ai pas remarqué. Allons, à cette heure nous sommes tous un peu zombies, n'est-ce pas ? Et puis quand on voit ce que le métro est devenu, on peut déjà s'estimer heureux de s'en tirer indemne.

Tout en parlant, je le regardais en douce et j'essayais de le situer parmi mes vieilles connaissances. Mentalement, je passais en revue les endroits que je fréquentais avant d'aller vivre avec Tomás, pour voir si, en l'associant à un de ces noms exotiques, je retrouvais celui du garçon à la veste en coutil, mais le parcours était si labyrinthique qu'il menaçait de devenir une nouvelle forêt, j'ai trop battu les pavés de Madrid à la lueur des réverbères. De toute façon, c'était un rhizophyte, aucun doute là-dessus. Les compères de ma jeunesse folle, nous les avons regroupés, pour nous comprendre, sous la dénomination générique de rhizophytes, un genre qui admet les sous-espèces, comme en botanique. Cette métaphore est une invention de Tomás, un jour où il avait un coup dans le nez – c'est lorsqu'il est ivre qu'il est le plus drôle.

Passé la dernière marche qui nous déposait sains et saufs dans la rue, nous nous arrêtâmes pour nous regarder. La matinée était radieuse. Il avait ôté ses lunettes noires, comme pour que je puisse mieux le reconnaître.

— Ouf, la lumière éblouit ! C'est que j'ai fait la nuit continue.

Il avait les yeux profondément cernés, il était nettement blond, avec une barbe de deux jours, et il lui manquait une dent. Au moment où il allait remettre ses lunettes noires, je me rappelai subitement son nom et je saluai cette illumination avec un mélange de douleur et de triomphe. En retrouvant ce nom, j'amenais une ribambelle d'autres noms, dont certains n'étaient pas anodins.

— Eh oui, Félix, une sacrée paye, au moins huit ans.

— Tant que ça ? Tu rigoles ! Mais tu n'as pas changé. Tu m'offres un café ?

— OK.

Il ne m'avait pas demandé si j'étais pressée, aussi décidai-je de ne plus l'être. C'était soudain un réconfort d'être avec une personne qui ne me traitait pas avec des gants et ne me regardait pas avec un air de circonstance comme le faisaient mes collègues de travail ces derniers temps, une personne à qui je pouvais avouer que j'en avais marre de me lever tôt pour aller tous les matins au même endroit, avec qui je pouvais me laisser aller à parler de tout ou à ne rien dire, peu importe, les rhizophytes ne se caractérisent pas non plus par une écoute intense, et c'est parfois un soulagement.

Nous entrâmes dans un café qu'il connaissait. Nous nous assîmes. Il y avait peu de gens. Il me demanda si je continuais de faire des chansons.

— Non, maintenant je suis archiviste.

— Ça alors, comme c'est drôle ! Ça ne te va pas du tout. Un piston ?

— Non, j'ai passé un concours après l'avoir préparé pendant deux ans, qu'est-ce que tu crois ? Je voulais gagner ma vie avec un salaire normal, je sentais que j'en avais besoin.

— Tiens donc ! C'est un psychiatre qui te l'a conseillé ?

— Pas du tout, figure-toi. Ce fut une décision comme une autre. Par la suite, il est apparu qu'elle avait son charme.

Enfin, un charme qui n'est pas le mien, tantôt tu te retrouves au XVIIᵉ siècle, tantôt tu entends passer les tanks de la Deuxième Guerre mondiale, mais c'est sympa.

Félix me regardait avec des yeux vitreux, un air que je connais bien, le genre au courant, mais qui a du mal à suivre.

— Un charme qui n'est pas le tien, répéta-t-il. Ça c'est bien. Autrement dit, ça te laisse de marbre.

— Non, pas vraiment non plus. On noie sa propre indécision dans celle des autres, une manière d'oublier le pot-au-noir de sa propre vie. C'est le cas des pompiers, des médecins, des avocats, ils ne sauraient pas comment s'en sortir eux-mêmes, mais cela ne les empêche pas de faire du bien à l'humanité. Tout métier poussant à s'engager nous sort de nos problèmes, et si nous savons nous débrouiller, ça vaut le coup. Éteindre un feu, rafistoler une âme ou un corps, gagner un procès, reconstituer le passé d'un mort à travers des paperasses, quelle importance ? Je veux dire que ces affaires ne nous concernent pas. Elles nous rassurent, qui plus est sans nous impliquer. Elles deviennent notre problème.

— Ma foi, c'est une façon de voir...

On nous avait apporté les cafés et Félix faisait fondre son sucre en remuant avec le manche de la cuiller. Il avait toujours cette manie, une façon d'imiter Roque. Roque n'est pas à proprement parler un rhizophyte. Nous l'imitions tous quelque part, ou bien nous sollicitions son admiration. Je lui demandai s'il avait de ses nouvelles.

— Il vit avec Paula, je dois aller le voir. Ils sont dans le dessin publicitaire. Mais il invente d'autres choses, pour ne pas plonger complètement dans la merde. Et pour continuer de jouer à être un autre.

— Quelles autres choses ?

Il sourit, et le sourire le vieillissait, comme toutes les attitudes qui traduisent la détérioration d'une ferveur juvénile.

— Qui sait, sa fantaisie est débridée, je le dis toujours à Paula, laisse-le tomber, ma vieille, c'est à lui de se tirer, c'est la moindre des choses, non ? Et voilà qu'elle me joue la grande scène que servent tous les couples, Roque est Roque, un point c'est tout. Bref, ça bat plutôt de l'aile.

— Il y a une raison spéciale ?

— Oui, les enfants qu'elle a, par exemple. C'est en train de m'arriver avec un des miens, qui n'est pas brillant. Ce n'est vraiment pas un cadeau, et tu as beau dire qu'« ils n'ont qu'à se débrouiller », même loin, les nains restent vivants et réclament leur Coca-Cola, tu n'y coupes pas. À t'en casser les oreilles ! Comment dire ? ils s'accrochent à vos pieds, à vos tripes. Tu as des enfants ?

— Non.

— Tant mieux pour toi.

De Paula je gardais le souvenir de son parfum de luxe, à la rose. Elle avait le teint très blanc et un profil grec ; mariée très jeune à un aristocrate blond dont les parents prêtaient la maison de campagne pour qu'ils y donnent des fêtes, je n'y suis jamais allée, mais il paraît qu'ils avaient une piscine éclairée de l'intérieur et que la nuit les invités s'y baignaient tout nus.

Soudain Félix, sans transition, me raconta le scénario d'un court métrage qu'il tournait avec des amis, même si l'idée était de lui, un type qui empoisonne sa colocataire quand il s'aperçoit qu'elle attend un enfant. Il insistait sur l'ambiguïté du message, cela pouvait être interprété comme la terreur d'introduire un nouvel être dans le monde, comme une lâcheté personnelle, ou comme un accès de jalousie, car rien ne prouvait que c'était lui qui avait engrossé la fille, la première image serait le visage de la morte, une expression mêlée de haine ou de révolte, un truc très féministe. Le féminisme est vendeur.

— Pas tant que cela, tu sais, dis-je. Et puis, excuse-moi, tu qualifies de féministe une histoire où un mec fait la peau à sa colocataire parce qu'elle est enceinte ?

— Mais lui, il souffre aussi.

— Et comment vas-tu le traduire ? Ça m'a l'air confus, et plutôt gratiné.

C'était un processus psychologique assez compliqué, sur ce point j'étais d'accord. L'essentiel était d'éveiller l'incertitude chez le spectateur, cela dépendait des gestes plus que des propos, le rôle masculin serait tenu par lui. Il se demandait s'il devait montrer les employés qui procèdent à l'autopsie du cadavre. Qu'est-ce que j'en pensais ? L'ennui, c'est que ça ne pouvait pas durer plus de dix minutes.

— Oui, un peu maigre, dis-je, pour avoir le temps d'introduire autant de nuances et d'incertitudes. On dirait plutôt un sujet de roman.

Félix haussa les épaules, les yeux dans le vague, comme s'il s'était soudain effondré.

— Ouais, dit-il, c'est toujours pareil. Ce que nous voulons en écrivant un roman, c'est rafler un prix pour s'en mettre plein les poches et avoir notre portrait, la tête appuyée sur la main.

Nous étions assis à côté d'une fenêtre et je reconnus la rue. Sur le trottoir d'en face il y avait un Burger King à enseigne jaune. Je demandai à Félix si ce n'était pas là que se trouvait le Feu Follet, un de nos rendez-vous nocturnes habituels, qui fermait très tard ; certaines nuits d'insomnie venimeuse, je sautais du lit, prenais un taxi et allais voir si j'y trouvais Roque : c'est alors qu'il commença à se désintéresser de moi et à espacer ses visites à la mansarde aux murs bleus, j'arrivais en jouant les indifférentes – « salut, les gars » –, mais souvent il ne venait pas, il était déjà parti ou bien personne ne savait rien, le Feu Follet, il y avait un long comptoir où étaient incrustés des phares de voiture.

— Oui, c'était là, répondit Félix. Les lieux changent tout le temps à Madrid. Roque dit qu'ils perdent leurs enseignes comme on perd ses dents, que c'est le premier symptôme de la pyorrhée.

Je regardai ma montre et lui dis que j'allais être obligée de partir. Je sentais comme un vide qui me transperçait le ventre. Félix me demanda la permission d'utiliser ma chanson, « Drôle de vie la vie », comme bande sonore pour son court métrage, d'ailleurs où pouvait-on la trouver ? Elle avait beaucoup d'entrain, c'était un rock, n'est-ce pas ?

— Une sorte de rock, oui, mais plutôt *sui generis*. Moi j'appelais entrerock tout ce que je faisais, je ne sais pas si tu t'en souviens.

Je compris qu'il ne s'en souvenait pas, mais il n'en laissa rien paraître. Je me demandai aussi s'il avait compris combien Roque m'avait fait perdre pied à l'époque, et s'il nous réunissait aujourd'hui dans sa mémoire. Cela revenait au même, après tout. Il répéta que c'était une chanson formidable et qu'il serait ravi de l'avoir.

— Tu n'as qu'à me laisser ton adresse, lui dis-je, et je t'enverrai la bande, si je la retrouve. Je n'ai pas réussi à enregistrer le disque. Ni celui-ci ni aucun autre.

— Non ? Je ne le savais pas. Bon, je te donne deux numéros où me joindre, car je suis en plein déménagement.

Il me tendit deux numéros de téléphone griffonnés sur une serviette en papier, je payai et nous nous séparâmes.

— Au fait, dit-il sur le trottoir. Tu peux me passer cinq mille pesetas ? Dès que j'aurai fini le court métrage, je te les rends. J'ai les fonds en baisse.

— Cinq mille, dis donc, c'est beaucoup. Je te donne deux mille, ça suffira.

Il les prit, dit qu'il s'en arrangerait et qu'il avait été ravi de me revoir.

— Et puis tu es ravissante, ma chère. On voit que ça te va bien de fouiller dans les vieux papiers. Tu es sûre qu'il n'y a rien d'autre ?

— Il y a un certain Tomás.

— Allons donc, je me disais bien ! C'est garanti. Vitamines extra.

42

Quand j'arrivai aux archives, je me disais que Félix ne s'était pas renié, contrairement à moi, et que si ce matin-là j'avais ignoré l'appel de la forêt, son nom serait resté enfoui dans les fourrés des rhizophytes. Je me disais aussi qu'à l'époque de « Drôle de vie la vie », le Compact Disc n'existait pas et qu'il n'y avait rien d'autre dans les maisons que des tourne-disques ; ma mère en avait un, avec un très bon son, elle s'asseyait par terre pour écouter des opéras, les yeux fermés.

En outre, je devinais déjà que le flot de paperasses qui m'apportait ma dose quotidienne d'oubli allait être troublé par le sillage d'écume laissé par ce vaisseau fantôme.

Naturellement, j'arrivai en retard. Plus d'une heure en retard. Avec des crampes d'estomac. Et plus aucune envie de me mettre au travail.

IV

Brouet d'archives

La chaleur nous tomba dessus du jour au lendemain. Cela contribua peut-être à augmenter mon impatience. Je rentrais chez moi en tout début d'après-midi et, avant d'entrer dans la salle de bains, de boire un verre d'eau ou de donner à manger au chat, j'allais tout droit au répondeur. Rien. Il n'y avait aucun message de l'homme de haute taille. J'écoutais les autres, généralement de ou pour Tomás, dans l'espoir que le sifflement qui les concluait précéderait cette voix qui m'avait dit : « Tout dépend de votre aptitude à vous lancer dans les jeux dangereux », une voix que la mémoire ne parvenait pas à reproduire, mais que ma tendance à la métaphore associait à une couleur bleu métallisé. Je me douchais, j'enfilais un short et, quand le soleil était bien bas, je sortais un moment sur la terrasse pour arroser sans entrain ni conviction les pots où languissent lauriers-roses et géraniums. Ce qui m'ennuyait le plus, c'était de me savoir épiée par les yeux d'un voisin qui agissait de même, aussi m'exécutais-je sans trop regarder autour de moi, comme abîmée dans des pensées profondes. Mais pendant quatre heures, rien, encéphalogramme plat, mon activité s'était réduite à me déplacer du fauteuil au canapé, à lire la presse en diagonale et à me regarder les pieds, que je surélevais en les posant sur un gros coussin.

Selon la version qui empruntait les fils du téléphone jusqu'à la Sierra de Cazorla, je progressais beaucoup dans ma thèse de doctorat : « Un aventurier du xviiie siècle et son valet ». Ils avaient été arrêtés en 1785 sur ordre de Florida-blanca – le secrétaire d'État – à leur retour de Londres ; on les soupçonnait d'être mêlés à une conspiration dirigée par des jésuites expulsés qui voulaient l'indépendance du Chili et du Paraguay, une histoire rocambolesque, le maître s'appelait Luis Vidal y Villalba, le prétendu valet Juan de Edad, portoricain, vingt-sept ans, célibataire, parfois nommé Juan Delage, originaire de Bordeaux, lequel disait avoir connu son maître à Curaçao et être à son service depuis 1780, à l'évidence ils mentent tous les deux, surtout don Luis, qui joue les Italiens alors qu'il est catalan, mais cela, on le découvre peu à peu ; même le gouvernement de Charles III, sur dénonciation du comte d'Aranda à Paris, croit Vidal particulièrement dangereux, soupçon que ce dernier a lui-même encouragé, en se vantant au cours de ses conversations de ses contacts et de ses influences, entêté à vivre sa vie de pauvre homme comme un roman d'espionnage. Il paya cette obstination très cher, vingt ans de prison. Il prétendait avoir d'importantes possessions à la Martinique.

Le 13 juin 1785, jour de la Saint-Antoine, un greffier du royaume se rend à Las Rozas où il attend don Francisco Gamir, « lequel avec un escadron de cavalerie escortait un criminel de poids, qui avait dit s'appeler Luis Vidal y Villalba ». On remettra ses effets au gouverneur de la Prison Royale, parmi lesquels figure un portrait de femme en miniature ovale avec encadrement en bois, dans une petite boîte, en bois elle aussi. À la même époque, on est allé attendre Juan de Edad à Galapagar, il est aussi emprisonné, mais isolé de son maître. Lors des premiers interrogatoires, il feint d'être fou.

Je m'enthousiasmais tellement en racontant à Tomás le développement de cette histoire, ses péripéties et ma façon de cerner ses énigmes que lorsque nos conversations téléphoniques prenaient fin, je notais ce que je lui avais dit et c'était le seul moment de la journée où la réalité dégageait un nouveau parfum, ployait sous la poussée d'un vent salin et laissait s'envoler des oiseaux.

— On dirait un roman, disait Tomás. Dommage que tu ne puisses rédiger ta thèse sous forme de roman. Tu es sûre de ne pas avoir inventé la petite boîte en bois ?

— Oui, sûre, j'ai mes notes sous les yeux. Tu n'as pas idée des richesses renfermées dans les archives, des choses délirantes qu'on y trouve ; ensuite, toute la difficulté consiste à assembler les pièces pour deviner ce qui s'est réellement passé, comme dans les enquêtes policières. Et à leur donner forme, bien sûr.

— Mais pourquoi ne pas raconter l'histoire à ta manière.

— Allons, tu as de ces idées ! Ce ne serait plus une thèse de doctorat.

— Oublie qu'il s'agit d'une thèse, je n'arrête pas de te le dire, tu prends un cahier et tu y jettes tout à la va-vite à mesure que tu prends connaissance des faits, ensuite, tu retravailles. Entame le gros cahier que je t'ai rapporté de Bordeaux, tu t'en souviens ?

— Bien sûr, un vert, il est là.

Dans le cahier, seule la première page était écrite : « Un aventurier du XVIIIe siècle et son valet », en majuscules ombrées, et la date, janvier de l'année en cours, quand personne n'imaginait que ma mère pourrait mourir. En y repensant, cette ombre gigantesque s'abattait aussi sur ces majuscules ombrées. J'étais reconnaissante à Tomás de m'adresser tous ces encouragements de si loin, je lui transmettais un message, nous parlions de la chaleur, je lui promettais d'entamer le cahier. J'étais ravie d'avoir réussi à éveiller son intérêt. Je me demande parfois ce que je deviendrais si Tomás se désintéressait des choses que je lui raconte et de celles que je lui cache. Sans doute une catastrophe.

C'était le plus souvent quand la nuit était tombée. Aucune envie de sortir, d'appeler quelqu'un, la chaleur avait à peine baissé. Ce fut une semaine très rude. Je regardais mes papiers éparpillés, je les classais, je mettais un titre aux chemises où j'allais de nouveau les ranger, j'avais complètement oublié certains détails : par exemple le valet ne savait pas écrire et il avait suivi don Luis, appâté par des promesses de fortune dignes d'être formulées par don Quichotte à Sancho Panza ; ainsi, par moments, les interrogatoires de don Blas de Hinojosa, le conseiller de Castille chargé d'infliger la question à ces deux prisonniers inquiétants et butés, chacun dans sa cellule, ou bien les contradictions dans lesquelles ils ne cessent de s'empêtrer, envahissaient l'été et dissipaient mon apathie.

Non seulement je trouvais cette enquête cousue d'or, mais j'avais l'impression d'avoir passé toute l'après-midi à sa rédaction, active, pleine d'entrain, et je me promettais intérieurement de chercher d'autres matériaux le lendemain, car il restait de nombreux points obscurs. (Plus de deux années ont passé, les points obscurs persistent et prolifèrent, qui sait si j'arriverai un jour au bout de ces recherches, pour moi elles ne sont ni suspendues ni oubliées.)

L'avantage de travailler aux archives, c'est que l'on peut photocopier des documents et les étudier à ses moments perdus, bien que les moments perdus soient rares en été. Les chercheurs étrangers intensifient leurs visites en Espagne entre mai et août. Ils s'entendent très bien avec moi, ils finissent par me révéler les secrets des personnages dont ils suivent la trace, comme s'il s'agissait de la famille, de gens parfois un peu ennuyeux qu'ils viennent voir, de l'Oklahoma, de Toulouse ou de Melbourne, quelle pitié de voir l'année sabbatique ou les vacances dont ils bénéficient leur glisser entre les doigts ; au début ils pensaient que le temps allait leur être plus profitable, en Espagne le rythme de vie est différent ; je leur adresse un sourire plus ou moins lointain, selon l'impression qu'ils me font ou l'humeur du moment. J'ai une relation plus personnelle avec certains d'entre eux.

Je me souviens surtout d'un professeur de la Sorbonne qui étudiait l'état du clergé espagnol à la fin du XVIIIe siècle, et plus précisément un évêque de Mondoñedo, accusé d'amours illicites. Je venais de passer mon concours. Nous devînmes bons amis et un jour il m'invita à déjeuner dans un petit restaurant, du côté d'Argüelles. Son principal problème en épluchant un dossier, disait-il, c'était qu'il était incapable de se concentrer sur une seule des histoires qu'il découvrait parmi toutes ces paperasses, de se limiter à sa propre recherche, de se contenter de son histoire à lui, pourquoi à lui ? Qui en avait décidé ? À l'instant où il dénouait les cordons pour ouvrir le dossier, il le savait, il allait se disperser, s'éloigner du sujet qui l'avait amené ici, à cause d'autres sujets auxquels il ne pouvait s'empêcher de jeter un coup d'œil. C'était pareil dans la vie, quoi de plus appauvrissant, disait-il, que de se limiter froidement à ce que l'on a choisi, en écartant toute autre possibilité également intéressante, qu'il faut cependant envisager, nous passons notre vie à décider, c'est notre châtiment, la soif d'infini qui se heurte aux barreaux de la cage ; il soupira, « *c'est la vie* * ». Il avait une barbe grise et des yeux bleus. Sa femme était morte trois ans plus tôt, et il avait un fils et une fille à peu près de mon âge, hasarda-t-il en me regardant. Je lui demandai s'il avait envisagé de se remarier. Il dit que non, les dames de son âge ne lui plaisaient pas, et il ne voulait pas imposer aux jeunes

---

* En français dans le texte. *(N. d. T.)*

49

la détérioration progressive d'une vie commune avec un maniaque. En outre, il avait vraiment aimé sa femme, elle lui manquait beaucoup, il lui avait rarement été infidèle et il se demandait souvent avec nostalgie comment auraient tourné les choses s'il ne l'avait pas connue, il ne pouvait résister à la tentation d'imaginer cette situation avec une certaine jubilation, c'est trop injuste que la vie nous force à des choix éliminatoires, vous poussez une porte et vous ne trouvez qu'un couloir de plus en plus sombre, avec des portes au fond qu'il faut néanmoins franchir, de plus en plus étroites et impératives.

Soudain je sentis un nœud à l'estomac, à l'époque j'avais cessé de composer des chansons et de boire sans mesure, j'avais rencontré Tomás, et la porte des archives, que je franchissais quotidiennement, me parut être la première de ce long couloir. Je regardai mon compagnon de table comme si j'en attendais une consolation. Il souriait.

— Heureusement, je crois à la réincarnation, dit-il.

— Vraiment ?

— Oui, absolument, affirma-t-il avec le plus grand sérieux. Pas vous ?

— Je n'en suis pas très sûre. J'y ai parfois pensé. La vie est si drôle qu'on peut s'attendre à tout, si tant est qu'il y ait quelque chose à attendre, naturellement.

Soudain, il me regarda avec beaucoup de tendresse, comme il aurait regardé sa fille, j'imagine.

— Tu ne lisais pas des contes de fées quand tu étais petite ?

— Bien sûr que si, et j'en lis toujours, ce sont les plus convaincants. Justement pour cette raison, parce que lorsqu'un animal qui parle raconte, par exemple, qu'il est ensorcelé, venant d'un être différent je trouve cela normal, merci de m'avoir parlé des contes de fées. Ils sont le subconscient. Car j'ai parfois des rêves où moi aussi je me transforme, et où il m'arrive des choses intérieurement, vous comprenez ? J'assiste aux transformations, et je me dis : « Maintenant les autres vont voir un autre visage de moi », vous devez trouver cela bizarre...

J'étais devenue toute triste. J'ignorais pourquoi je tenais de pareils propos à un inconnu. Alors, j'eus un souhait instantané mais dévastateur. J'eus envie de lui demander d'être mon père et de m'emmener à Paris avec lui. Ce serait une façon d'emprunter un autre couloir.

— Il n'y a rien de bizarre à cela, *ma belle* *. En définitive, tout est transformation. En quoi vous êtes-vous transformée aujourd'hui ? En princesse captive ou en chat qui va se mettre à parler ? Allons, formulez un souhait.

J'éclatai de rire pour dissimuler mon envie de pleurer.

— Vous êtes plus jeune que beaucoup de garçons de vingt-cinq ans, lui dis-je.

Je me levai pour demander s'il vous plaît de baisser le son de la télévision, car nous étions dans un restaurant plutôt bruyant. Quand je revins, il avait fabriqué une fleur avec une serviette en papier. Il y mit un peu de sel et me la tendit par-dessus la table avec une grimace qui ressemblait à celles de Charlot.

Au dessert, la conversation étant revenue sur les hasards de la recherche historique, il me parla de Vidal y Villalba, un parfait inconnu pour moi. Quel dommage, dit-il, que personne ne s'occupe de cette histoire, il l'avait trouvée dans les papiers de l'évêque de Mondoñedo, et elle promettait de renfermer de nombreux mystères. Jusque-là, dans les interrogatoires de la prison, ni Vidal ni un sien valet ne paraissaient dire un mot de vrai. Moi, au début, je ne trouvais rien d'intéressant à tout cela, un mot de vrai sur quoi ?... je n'y comprenais rien. En outre j'enrageais de voir brisé ce fil d'intimité qui l'espace d'un instant avait cousu ma véritable

---

* En français dans le texte. *(N. d. T.)*

51

histoire à celle de quelqu'un qui aurait pu être mon père dans une autre vie, et qui découpait méticuleusement sa pêche au sirop en petits morceaux, tout en me parlant de deux prisonniers extravagants et flous.

— Mais enfin, pourquoi les a-t-on pris ?

— C'est là le hic. Je crois qu'en 1785 Charles III et ses ministres se tenaient sur leurs gardes et se méfiaient de toute velléité de conjuration menaçant leur autorité dans les colonies américaines. En effet, Vidal est plusieurs fois interrogé sur l'Inca Tupac Amaru, le cacique de Tinta : l'avait-il connu pendant son séjour aux Philippines et au Pérou, savait-il quelque chose de lui, vous voyez bien, cela ne leur suffisait pas de lui avoir infligé trois ans plus tôt une mort aussi horrible, ils avaient peur de ce que pouvait semer sa révolution éclair. À juste titre. Ce fut la première protestation à feu et à sang contre la dureté et la tyrannie des corregidors espagnols dans les colonies, comme vous devez le savoir.

Non. Je ne le savais pas, mais il était tard, je devais retourner à mon travail, et les noms de Tupac Amaru et Vidal y Villalba restèrent à jamais associés dans mon esprit. J'avais décidé de me renseigner sur ces histoires.

Nous nous séparâmes devant la bouche de métro, car nous prenions des directions opposées et il partait le lendemain. Il me laissa une carte avec son nom, Ambroise Dupont, et son adresse à Paris. Depuis, j'ai failli lui écrire plusieurs fois, mais je me suis dit à quoi bon, pour remplir encore les tiroirs de papiers périmés. Il me nota aussi le numéro du dossier où il avait trouvé ces pistes de recherche.

— Au cas où vous voudriez continuer, fille triste. Fouiller dans le passé lointain est parfois un lénitif. Le passé proche fait plus de mal.

Nous nous embrassâmes et je le regardai descendre les escaliers et s'enfoncer dans sa forêt personnelle. Ensuite, quand je retournai aux archives, avant de le ranger, j'examinai ce dossier par pure curiosité, poussée par monsieur Dupont, un veuf aux yeux bleus que je n'ai jamais revu. Il aura franchi d'autres portes ou sera devenu un autre, ainsi va la vie.

Finalement, j'ai fait la connaissance de Vidal y Villalba dans un petit restaurant d'Argüelles, et j'ai suivi sa piste à cause de ma manie de descendre dans la forêt, dans toutes les forêts, l'idée ne m'avait jamais effleurée d'écrire une thèse qui ait comme toile de fond les premières velléités d'indépendance coloniale au xviiie siècle, d'ailleurs je ne crois pas que je la rédigerai, mais voilà toujours l'histoire de deux comparses obscurs, don Luis et son valet, ainsi s'enterre ou affleure, fragmentaire, une histoire à demi souterraine comme beaucoup d'autres qui me touchent de près, et qui s'amalgamait avec elles.

Je me suis souvent rappelé Ambroise Dupont, pas seulement à cause de la fleur en papier et des contes de fées, mais parce qu'il avait archi-raison quand il disait qu'il est absurde de s'intéresser à un seul sujet quand on voit tous ceux qui grouillent dans les papiers et dans la vie.

Mais celui pour qui j'eus un vrai coup de foudre, c'est José Gabriel Tupac Amaru. Toutefois, cela n'a pas de sens d'envisager une thèse de doctorat sur lui, car beaucoup de livres ont déjà raconté les mésaventures du cacique de Tinta. Et je n'eus de cesse de les avoir tous lus.

Peut-être qu'un jour, si je me décide à rédiger sérieusement mon travail sur l'aventurier menteur et son valet, j'aurai à cœur d'introduire Tupac Amaru dès le premier chapitre, comme contre-figure héroïque du sordide don Luis. Quand j'y pense, il me semble entendre les sabots de son cheval blanc franchir un gué au galop pour échapper au feu ennemi.

V

LES HÔTES DE L'AU-DELÀ

Au cours de ces premiers jours de juillet, tandis que j'attendais l'appel de l'homme de haute taille, je pensais beaucoup à la mort. Mais de façon sourde et abstraite, sous forme d'un tambourinement persistant qui résonnait bien malgré moi, une toile de fond ornée de dessins comme ceux que les pharaons commandaient pour commémorer leurs morts. Ce qui m'étonnait le plus, c'était de m'être habituée si vite à l'idée que ma mère n'aurait plus jamais chaud en été, ne sortirait plus le soir pour contempler les terrasses de Madrid, et qu'elle appartenait autant au passé que Vidal y Villalba. Elle n'entend plus – me disais-je –, elle ne peut plus rien expliquer même si on l'interroge, elle ne peut plus mentir ni se défendre, elle est partie sur la pointe des pieds, emportant ses affaires et son regard indéchiffrable, elle n'a plus chaud, la part de mon enfance embobinée dans sa pelote, elle l'a aussi emportée. Je ne me disais pas « elle l'emportera », comme avant, lorsque je me représentais soudain son absence, mais « elle l'a emportée », j'y pensais comme à une chose inexorable. Et le cordon ombilical des histoires en cours se couvrait de rouille.

Dire « elle a emporté une part de mon enfance », c'était imaginer que je m'envolais dans ses bras encore jeunes vers

55

un lieu éloigné ; mes jeux et mes questions s'inter-
rompaient, les atlas n'étaient pas refermés, les pions du jeu
de l'oie n'étaient pas rangés, le puzzle pas fini, les crayons
de couleurs avaient la mine cassée, le vélo était par terre,
« dépêche-toi ! », un tourbillon nous arrachait du sol et
nous lançait en l'air, « allons, n'aie pas peur, accroche-toi
bien fort à moi » ; c'était une sorte de fusée spatiale, mais
je savais qu'ensuite elle allait retomber et s'enfoncer dans
les entrailles de la terre, et je fermais les yeux en tremblant.

En les rouvrant, une trépidation de motos et un ronron de
gens montaient de la rue plongée dans la nuit, c'est une
zone très animée, à forte densité de pubs et de terrasses de
bars, ces bruits qui émaillaient un roman urbain sans
dénouement particulier me tenaient compagnie comme dans
un hôpital, j'ai déjà lu ce roman des milliers de fois, et je
l'ai non moins vu au cinéma. Moi aussi je pouvais me
déguiser et descendre solliciter un rôle, chercher le responsable du casting, laissez-moi tenter un essai, j'ai du culot,
beaucoup de réflexes et l'art d'esquiver un coup de couteau,
je tiens très bien l'alcool, je sais improviser une repartie et
si le scénario l'exige je peux même me déshabiller dans la
fontaine de la Cibeles, laissez-moi faire un bout d'essai,
vous voulez bien ? Voyons, tu portes un soutien-gorge ?
Quelle barbe, je savais déjà tout. J'allumais la télévision en
soupirant, un whisky, une caresse furtive au chat, et Tomás
me manquait furieusement. Mais j'avais décidé de résister
pied à pied, ce sujet était ma propriété exclusive, mon
enfance gisait mutilée sur la moquette, il faudrait prévoir la
respiration artificielle, voire une autopsie, chercher des photos, des papiers, me rappeler comment elle s'habillait, derrière quelle expression elle dissimulait ses colères, me
préparer, en un mot, à l'entrevue avec le grand-père, car
l'homme de haute taille risquait de m'avertir bientôt que

56

c'était l'heure de mon entrée en scène. Dès que j'entendrais sa voix je reprendrais courage, elle était de celles qui stimulent. Mais en attendant, où était maman ?

Dans mon acceptation de sa mort n'entraient ni l'idée d'une disparition totale ni les calculs du temps écoulé depuis le soir où on m'avait appris la nouvelle – deux mois, trois ? Quelle importance, ce qu'elle racontait était une solide muraille dressée depuis lors et à jamais entre son voyage et le mien. Ce qu'elle avait emporté, où l'avait-elle emporté ?

Je n'avais pas voulu la voir morte, je n'avais presque pas osé demander de quoi elle était morte, la cérémonie de l'enterrement m'avait paru un pastiche, j'y étais allée avec des lunettes noires et en jeans. Rosario, la personne avec qui elle partageait son logement, était en deuil et pleurait si fort que c'était à elle qu'on présentait les condoléances ; papa, à sa façon, fut très tendre avec moi, bien que timide, je lui demandai de ne pas m'appeler pendant quelques jours, « c'est moi qui t'appellerai si tu veux bien, d'accord ? » Il parut le comprendre – il ôte ses lunettes et se frotte les yeux quand il a compris quelque chose – et déclara : « D'accord, mais ne me laisse pas seul trop longtemps », une phrase qui semblait jaillir du cœur, totalement inattendue, je crois que Montse l'entendit, car elle était près de lui et elle fronça les sourcils, je me demande d'ailleurs ce qu'elle faisait là, encore heureux qu'ils n'aient pas amené l'enfant. Et je passai la soirée à écouter une musique stridente pendant que j'entendais Tomás m'excuser au téléphone, demandant aux gens de ne pas venir, un amour d'homme, je crois que sa mère fut scandalisée d'entendre ces accords de rock, elle trouva cela inadmissible, « chacun ressent les choses à sa façon, maman, je t'en prie, ne sois pas conventionnelle », depuis elle est fâchée avec lui et avec moi, car elle s'imagine que je le détourne du droit chemin, comme tout cela est petit, inconsistant et mesquin. Rester et vivre ne comportait aucun mystère. Cela détournait l'attention de l'essentiel. Et c'était d'un ennui !

Et l'homme de haute taille qui n'appelait pas.

Je résistai deux jours avant d'appeler moi-même pour savoir au moins son nom, je prétendis que c'était pour l'inviter à un congrès de gériatrie. « Ramiro Núñez », me répondit la voix nasillarde de la femme aux cheveux tirés qui m'avait reçue au comptoir de l'entrée. Je raccrochai aussitôt, le cœur battant. Mais je n'osai prendre aucune initiative.

Parfois, j'enrageais à l'idée qu'à l'époque des rhizophytes, je me serais arrangée d'une façon ou d'une autre pour réduire au maximum le délai entre le caprice de le revoir et sa réalisation ; j'étais alors capable de franchir tous les écueils pour la satisfaction du corps. Or, en l'occurrence, l'affaire de Ramiro Núñez concernait le corps, il s'agissait d'une personne qui avait inopinément éveillé l'envie de le satisfaire. C'était l'essentiel, non ? « Allons-y doucement, il n'y a pas que cela, raisonnais-je dans mes éclairs de lucidité, n'oublie pas que dans l'histoire que tu tentes de t'approprier, nous avons en tête de la distribution, comme vedettes indiscutables, elle et le grand-père ; c'est pourquoi ton rôle s'annonce délicat, il exige un travail approfondi et beaucoup de subtilité ; en tout cas, on peut t'accorder l'oscar du meilleur second rôle : que tu l'acceptes ou le refuses, cela rabaissera ton ego. Ramiro n'est pas un metteur en scène quelconque, tu le sais, il te met à l'épreuve à distance sans étaler son jeu. Mais n'est-ce pas ce qui te plaît chez lui ? Alors dégraisse tes neurones. Si c'est toi qui l'appelles ou qui le contrains à un rapprochement quelconque, tu as perdu, on peut dire que tu auras tué la poule aux œufs d'or. »

D'autres fois, en revanche, je me berçais d'illusions en m'imposant d'éprouver pour le grand-père une inquiétude qui ne tardait pas à se révéler factice. Et s'il lui arrivait quelque chose avant que je sois allée le voir ?

Je devais toutefois reconnaître qu'il ne s'agissait pas d'étouffer de prétendus remords ni de tenir compagnie à un vieillard plutôt tyrannique dont je m'étais désintéressée depuis longtemps, mais d'accepter ou de refuser les risques qu'impliquait ce défi particulier lancé par un inconnu que je n'étais même pas certaine d'avoir intéressé en tant que femme. Par ailleurs, cela n'avait aucune importance. Même sans cela, c'était une aventure. Et si je m'y lançais – ne m'y étais-je pas déjà lancée ? – je devais être en pleine forme, et surtout pas sujette, à aucun prix, à des comportements d'ignorante.

« Réfléchissez bien. Nous avons besoin que vous mobilisiez vos cinq sens, sinon cela ne servira à rien », m'avait dit Ramiro au moment de prendre congé.

« Nous avons besoin. » Ce pluriel l'incluait, elle, je ne vois pas qui d'autre. Si la portée de ce détail n'avait pas attiré mon attention sur le moment, en y réfléchissant a posteriori, j'en avais la chair de poule. Ils étaient complices, aucun doute là-dessus.

Je lui avais répondu : « Bien entendu. On fait les choses bien ou on ne les fait pas, si vous me connaissiez, vous n'auriez pas besoin de formuler une telle mise en garde. »

Mais il s'agissait d'une feinte, c'était maintenant évident. Je ne me préparais absolument pas à supplanter maman, je n'osais pas assumer ce rôle. Je n'osais pas l'affronter, pour parler franchement, en dépit de toutes mes démonstrations d'insoumission, jamais je ne m'étais risquée à la renverser de son piédestal.

Et revenait comme une musique de fond ce tam-tam de l'inconnu, l'énigme de sa localisation actuelle.

— Où es-tu ? demandais-je à mi-voix, les yeux mi-clos et les mains en l'air, dans une attitude à la fois solennelle et comique qui, selon la version qu'elle m'en avait donnée, accompagna le son de mes premiers « où » d'enfant.

Je quittais la terrasse et rentrais dans la chambre noyée d'ombre et, plantée devant le miroir, je répétais : « Où ? » Ma silhouette encadrée par les éclairages des terrasses conférait un aspect fantomatique à cette attitude de fillette curieuse reconstituée à partir du témoignage de celle qui m'avait rapporté une scène, interprétée par moi-même et classée dans mes propres souvenirs – comme si je l'avais vue –, à côté des emprunts, témoignages et versions secondes qui apportent leur ciment au procès de la vie ; c'est ainsi, à base de fragments divers, que se forge la mémoire et se recompose peu à peu le destin. Il semble que ce « Où ? » soit la première question que j'aie formulée, le premier mot sensé que j'aie prononcé, « très distinctement, en traînant longuement sur la syllabe avec beaucoup de fougue, comme si ta vie dépendait de la réponse, car par ailleurs tu ne t'intéressais pas à un « où » concret, tu regardais de tous les côtés, c'était d'un comique ! on aurait dit l'inspection générale du monde ».

Dans le miroir obscur, à peine éclairé par les lueurs rougeâtres qui pénétraient par la porte ouverte de la terrasse, mon image orpheline levait lentement les mains en l'air, je la voyais s'agiter et s'agenouiller, « Faites ceci en mémoire de moi », puis fermer les yeux comme sous l'effet d'une de ces potions que l'on trouve dans les contes de fées, attendant une métamorphose ou une révélation prodigieuse, « Où ? – murmurais-je entre les dents. Où est maintenant celle qui m'a raconté cette histoire, celle dont j'ai imité le talent pour imiter d'autres voix ? Car elle a bien dû arriver quelque part, c'est certain, même si nous ne nous revoyons pas, même si on nous interroge dans des cellules séparées, comme Vidal y Villalba et son valet.

Je rouvrais les yeux sur ma chambre en désordre, ennuyeuse et insolite. Derrière cette sorte de rituel qui s'achevait par la déception, se dessinait une frontière inquiétante qui m'avait déjà heurtée de plein fouet dans mon enfance, puis pendant mes études d'histoire de l'art, tout spécialement quand je regardais les reproductions de tombes égyptiennes ou assyriennes : l'au-delà.

Il est impossible de ne pas se représenter ce royaume, d'une façon ou d'une autre, toutes les religions l'ont imaginé, il serait vain de trancher la question en prétendant que ce sont des sornettes. Moi, depuis ces soirées du début juillet où j'attendais que l'homme de haute taille me fasse entrer en scène, j'attribue au gardien de l'au-delà le visage de Robert de Niro, à cause d'un drôle de film que je vis à la télévision en pleine nuit, à demi endormie, je ne me rappelle ni le titre ni le sujet, mais j'ai gardé le souvenir du personnage. Il a les cheveux gominés, la raie sur le côté, les ongles longs, le regard perfide et il mange un œuf dur. Il se colla comme un arapède à mes élucubrations de cette nuit-là, sous la forme d'un oiseau dessiné sur une frise funéraire, je le reconnus immédiatement et il sortit de son film pour entrer dans le mien, il y est toujours, il avait l'air d'un type qui monte la garde à la frontière. Je ne voulus pas en savoir davantage. J'éteignis la télévision.

L'au-delà, je l'imagine comme une sorte d'immense entrepôt, un conglomérat scabreux, certaines travées à l'air libre, d'autres sous une toiture. Parfois je m'y suis aventurée en rêve, des rêves dans lesquels, naturellement, moi aussi j'étais morte.

Et vous retrouvez des gens qui vous en rappellent d'autres ou qui se métamorphosent, deviennent une autre personne qui vous rappelle vaguement quelqu'un, des gens qui vous saluent à peine d'une inclination de tête, les yeux fixes et graves ; ils veulent oublier leur histoire et refusent qu'on la remette sur le tapis, ils ont décidé de vendre aux enchères les épaves du passé et les fétus d'espérance. En général ils portent un chapeau. Ils sont paisibles, debout ou assis, derrière leurs affaires disposées en petit tas comme au marché aux puces, et on les reconnaît à ces objets, mais nul ne leur achète quoi que ce soit. Don Luis Vidal y Villalba offre son coffret cadenassé qui contient un portrait de femme, il ne se souvient plus de qui il s'agit, il est incapable de séparer mensonges et vérités, il a conservé la peau jaunie des fièvres et des délires ultimes, pauvre homme, il a eu une fin horrible dans une cellule du rocher de Gibraltar, il avait perdu la raison, mais il ne s'en souvient plus. Non, nul ne leur achète quoi que ce soit, et ils ignorent pourquoi ils ont ces objets, cartes postales nouées ensemble par un ruban, portraits, clés, un étui à lunettes en écaille, toute sorte de paquets, mais ils ont erré et récolté ces résidus d'une identité oubliée dans les galeries, les ruelles et les escarpements de l'au-delà, perdus, trébuchant, jusqu'à ce qu'ils aient trouvé un havre de paix.

Ici bas, les gens, et moi avec, sont obstinément accaparés par une série de tâches erronées et baroques qui n'ont rien à voir avec leur être interne et égaré. Ils avancent à grand-peine en essayant de ne pas bousculer les autres dans cette géographie lunaire, guidés par Robert de Niro, peut-être leur explique-t-il comment prendre le métro et leur donne-t-il un plan avec toutes les lignes, les stations et les correspondances possibles.

De temps en temps, on voit des camps de concentration d'où s'échappe une lumière fluorescente, ce sont les réfugiés qui sont là depuis plus de cinq siècles, à peu près l'époque qui a précédé la Reconquête de Grenade.

L'investigateur de tous ces morts, quand il essaie de descendre y mettre le nez, est aussi reçu par Robert de Niro :

ongles longs, cheveux gominés et costume de deuil irréprochable.

— Investigation, excursion programmée ou simple formalité ? demande-t-il avec son rictus sardonique.

— Investigation.

Il vous tend un billet noir sur lequel est écrit en lettres jaunes : « Abandonne toute espérance. Les morts, il faut les laisser aller. »

VI

DIS-MOI QUELQUE CHOSE

Toi, tu ne tournes pas rond, dit Tomás. Tu recommences à divaguer comme lorsque je t'ai connue.

Sa voix rappelait celle du spécialiste observant la réapparition de symptômes qui contredisent un diagnostic clinique et réduisent à néant l'amélioration amorcée. L'iris de mes outrances narratives s'embua.

— Tu parles comme si ça t'inquiétait. Ça t'inquiète ?

Silence au bout du fil. Si Tomás a une vertu – et il en a beaucoup –, c'est de ne jamais répondre pour le plaisir de répondre. C'est en tout cas celle qui me freine le plus et qui me sert d'antidote, même si parfois je trouve énervant son souci excessif du détail. Je vois le ciel se couvrir.

— Je t'ai posé une question, dis-je avec impatience.

— Je l'ai entendue, j'y réfléchis. Tu sais bien que les explications par téléphone, ce n'est pas mon fort. Surtout à une heure pareille. Non que cela m'inquiète. Enfin, je ne pense pas. Et puis il s'agit de toi, comme presque toujours, pas de moi. De savoir ce qui te fait du bien.

— De savoir ce qui me fait du bien ? On dirait un médecin qui parle. Dis-moi quelque chose, allons !

Je perçus un petit bruit : il venait de claquer la langue, une façon d'exprimer son ennui. Mes « dis-moi quelque chose » sont des manifestations de susceptibilité et, même implorantes, il sait aussi bien que moi que ces manifestations n'entrouvrent aucune porte au dialogue, mais qu'il s'agit de réactions de chat qui se hérisse, sur la défensive. J'étais furieuse d'avoir dit cela, mais j'avais besoin d'inventer un autre support pour libérer ma colère. Par exemple son silence, qui s'éternisait.

— Tu es toujours là ?

— Oui.

— Qu'as-tu dit ? Tu as dit « ouf » ?

— Non, pas du tout. Mais c'est une bonne idée. Ouf !

Je regardai ma montre. Une heure et quart du matin. C'était moi qui l'avais appelé pour lui débiter à brûle-pourpoint une diatribe de nuit blanche comme j'en ai le secret, liée à Robert de Niro et à ses hôtes de l'au-delà, sans lui demander si je l'avais réveillé ni s'il était subjugué par mon verbiage. Je suis incohérente, je l'admets, ou plus exactement j'ai du mal à l'admettre, comme presque tout ce qui ne m'embellit pas. Maintenant, il allait me laisser un peu tranquille, il semblait avoir des ennuis dans son travail, il ne pourrait pas revenir à Madrid à la date prévue, mais il n'insistait plus pour que j'aille le rejoindre. Ce « ouf ! » fut comme un coup de poignard, et j'imaginai l'inimaginable : qu'il pouvait être au lit avec une autre femme. Naturellement, je n'allais pas le lui demander, dès le début une liberté totale dans ce domaine avait été reconnue, et pourtant je tenais pour acquis que Tomás n'en faisait pas usage. Pourquoi ? C'était une affirmation téméraire qui ne reposait sur rien. Pourquoi cela ne pouvait-il pas se produire ? N'avais-je pas depuis plusieurs jours la tentation de sortir le soir pour aller draguer ? Je pensais à Roque, ou bien je rêvais de Ramiro Núñez. Sans compter les infidélités antérieures qui étaient restées plus ou moins inavouées. Je n'ai toujours pas deviné si Tomás est jaloux ; son cœur ne s'épanche pas beaucoup, j'en ai finalement conclu qu'il est beaucoup moins turbulent que le mien.

« Il n'y a pas de lois strictes en la matière, dit-il un jour. Moi, si je te trompais, je te le dirais. Toi, agis comme bon te semble. » Je pris ses façons solennelles à la plaisanterie. « Le mot « tromper » se prononce sans qu'on l'entende, tu le savais, comme dans le cinéma muet, yeux exorbités, main sur le cœur et une bouche à la Mary Pickford, regarde, comme ça. » Il m'embrassa, éclata de rire et me suggéra de me consacrer au théâtre. C'était au début.

Mais me le dirait-il vraiment si cela arrivait ? Ou aurait-il alors une conception nouvelle de la tromperie ? Bien qu'il n'ait pas pour habitude de changer ses points de vue sans expliquer pourquoi, il est vrai que je ne lui laisse guère le loisir de s'expliquer, j'oriente les conversations à ma guise et cela peut lasser. Son « ouf ! » venait d'ajouter un rien de suffocation à l'air vicié que le ventilateur déplaçait paresseusement sur le lit défait par tant de visites et de désertions successives, un monticule idéal. Le climatiseur était en panne depuis des jours, il fallait appeler quelqu'un pour le réparer, mais quel ennui de tant penser à la chaleur, et d'accuser les nerfs, ce sont des ficelles un peu grosses. Tomás ne souffrait pas de la chaleur à Cazorla, du moins n'en parlait-il pas, et pourtant il avait proféré un « ouf ! » très éloquent, j'imaginai le pli de ses lèvres, il a une jolie bouche, c'est un timide, dans le genre séduisant, surtout sans moustache.

Cette idée qu'il pouvait ne pas dormir seul, je la sentais venir furtivement, comme un insecte venimeux. Je me mis à l'affût : voilà qu'il montait en rampant sur la courtepointe, se frayait un passage parmi les monticules et les objets hétéroclites, s'approchait du téléphone, je l'écrasai avec une revue illustrée, c'était une araignée velue qui resta collée dans le décolleté de Stéphanie de Monaco, morte elle m'effrayait encore plus. J'avais besoin de boire quelque chose.

— Tomás, dis-je doucement. Attends un peu, s'il te plaît ? Ne me raccroche pas au nez.

On entendit un léger grincement, on aurait dit un changement de position, j'avais le désavantage de ne pas connaître sa chambre. Il a l'habitude de s'endormir en lisant le journal.

— Te raccrocher au nez ? Cela m'est-il seulement arrivé une seule fois ? demanda-t-il sur un ton à la fois réticent et complaisant qui raviva sans transition mon désir d'altercation que je venais tout juste d'anesthésier. Tu dois savoir que ce n'est pas mon style.

— Mais c'est le mien, je sais ! Je claque les portes, je te réveille sans pitié, je t'asservis, je change tout le temps de conversation et je ne t'écoute jamais, tu es parfait, c'est entendu, tu es un être mesuré et rationnel, je me demande comment tu peux supporter une hystérique.

Le scénario aurait exigé que je raccroche, mais je n'en fis rien, et un nouveau silence marécageux succéda, cette fois franchement insupportable ; si je ne voulais pas que l'araignée ressuscite, une réaction immédiate s'imposait, pour inventer une pirouette amusante qui nous sorte du trou, le plus urgent était de l'entendre rire, j'en eus l'intuition. J'avais la gorge sèche, de vagues nausées, les jambes lourdes, mais je me préparai pour le grand saut. Il ne fallait rien attendre de son côté. Je sais ce qu'il est capable de supporter dans les situations embarrassantes.

— Ouuufff ! m'exclamai-je en traînant comiquement sur le ou, comme si j'imitais le loup. Je me dostoïevskise, tu ne trouves pas ?

— Plutôt. Tu présentes tes excuses comme si tu jetais des pierres.

— Allons, moins de gravité, tu ne vois pas que je verse un peu de dissolvant ? Nous allons nous souhaiter une bonne nuit sans faire une seule tache ! Répète après moi : « Tu te dostoïevskises. » Ça suffira.

Il se mit doucement à rire, mais je me demande s'il en avait très envie. Ou peut-être ne voulait-il pas éveiller la jalousie de sa compagne. Rire avec autrui est le meilleur symptôme d'amour.

— Tu te dostoïevskises, dit-il.

— Alors bonne nuit. Et excuse-moi. Cette chaleur m'épuise. C'est vrai qu'à Madrid, ces jours-ci, ça n'arrête pas.

Logiquement, il aurait dû répliquer : « Alors pourquoi ne viens-tu pas ? » ou, sur un ton plus agressif : « Douleur demandée n'a jamais démangé », mais de toute évidence il n'avait aucune envie de prolonger la discussion.

— De toute façon, ajouta-t-il perfidement, je suppose qu'on est venu réparer l'air conditionné.

C'était faux, mais je lui dis que oui, encore un problème en suspens – appeler la maison Panasonic – qui vint renforcer ma mauvaise humeur. J'avais punaisé des petits papiers dans toutes les pièces comme pense-bête et je trouvais terriblement agaçant de les voir. Il me demanda si elle faisait moins de bruit, je répondis par la négative et il se contenta de me souhaiter bonne nuit sans autres commentaires. L'araignée agitait un peu les pattes.

— Juste une question, Tomy, lui dis-je avant de raccrocher. Lorsque nous nous sommes connus, je t'ai plu parce que je divaguais et cousais la vérité avec les fils du mensonge ? Cette métaphore est de toi, ce n'est pas moi qui l'ai inventée. La renierais-tu aujourd'hui ?

— Mais non, voyons, je ne renie rien du tout. Mais laisse tomber ces histoires, et toutes celles qui peuvent te contrarier. Allons, prends un cachet pour dormir et demain attaque le cahier sur Vidal y Villalba.

— Bien, chef.

69

Il attendit que j'aie raccroché. J'avais du mal à respirer. Mais surtout j'avais très faim et des expéditions antérieures au réfrigérateur m'avaient déjà informée de son état de carence. J'ignorai un verre à moitié rempli de whisky où les glaçons avaient fondu, et décidai d'aller au bar Residuo, où l'on pouvait dîner très tard et où les patrons étaient des gens très agréables. Depuis plusieurs jours je mangeais n'importe quoi, en forçant sur l'alcool et le café.

En enlevant mon pyjama et en prenant quelques vêtements jetés sur un fauteuil, je réalisai non sans inquiétude que c'était la troisième fois ce soir-là que cette même scène se renouvelait. Ah, non ! Maintenant, ma belle, tu ne vas pas laisser filer celle-ci sans conclure ! me reprochai-je à haute voix. La troisième, c'est la bonne, tu vas cesser de « prendre des indécisions », comme ton père, en cela on peut dire que vous vous ressemblez.

Je souris. « Ismael, tu as assez pris d'indécisions pour aujourd'hui ! » aimait-elle à dire, sans doute avant qu'ils ne se séparent, car ensuite elle ne le dit plus jamais, en aucune occasion, je devais avoir pas loin de seize ans. Je ne voulais pas fouiller dans les dates, mais cette phrase qui remontait à la surface comme un noyé me poussa à « prendre l'indécision » d'aller voir mon père le lendemain. Je le notai sur un petit papier jaune à bordure adhésive – « Aller voir papa » – et le collai sur le miroir de la salle de bains, au-dessus d'un autre où j'avais écrit : « Panasonic ». Je nouai mes cheveux et me maquillai un peu les yeux. J'avais une sale tête, genre perverse du cinéma muet.

Soudain se produisit une sorte de dédoublement, comme si j'avais perdu mon identité de compagne de Tomás, sans cesser pour autant de me déplacer avec aisance dans cette maison que je connaissais et dont j'avais la clé. Drôle d'histoire, j'étais entrée ici pour un soir, passablement éméchée, Tomás beaucoup moins. Il y avait une grande planche à dessin qui n'est plus là aujourd'hui, ce plan incliné était la première chose que l'on voyait en ouvrant la porte, je m'étais dit que c'était un endroit comme un autre, pourquoi suis-je toujours ici ?

Une autre ribambelle de questions liées à l'avant, l'après et le pendant pointaient à l'horizon, et je préférai ne pas les laisser incuber sous un toit.

De l'air, assez d'enfermement ! La rue s'ouvre sur d'autres perspectives, tu ne le sais toujours pas ? Ainsi, on peut descendre dans des forêts inexplorées, une rue, ce sont des gens qui passent, également perdus dans leurs propres fourrés, et puis surtout il n'y a rien à se mettre sous la dent dans le réfrigérateur, et tu as faim, me semble-t-il ? Alors grouille-toi d'arriver avant la fermeture du Residuo, cesse de t'empêtrer dans les cercles vicieux de tes intérieurs. Qu'importe pour le moment la façon dont tu as connu Tomás. Tu as besoin d'avaler quelque chose de chaud. Tu réviseras cette étape de ta vie un autre jour, si cela en vaut la peine.

Je partis presque en courant.

VII

TROIS GOUTTES D'EXISTENTIALISME

Les patrons du Residuo sont trois : une petite brune d'une vingtaine d'années toute frisée, connue sous le nom de La Duchesse, et deux garçons plus âgés que moi, je ne sais jusqu'à quand je continuerai de les traiter de garçons, Quique est chauve et il a du ventre, Moisés est plus présentable, physiquement je veux dire, mais côté névrose, il a du répondant. Avant, il portait la barbe. C'est le genre de types comme on en rencontre dans une foule d'endroits, dans un autobus de la cité universitaire, à l'enterrement de Tierno Galván *, dans les concerts branchés, à la queue des cinémas d'art et d'essai, à la manifestation anti-OTAN, au bar Chicote, sans parvenir à savoir comment ils s'appellent ni à quoi ils se consacrent ; maintenant il a une barbe blonde qu'il rase quand ressortent les poils blancs. Je ne savais pas qu'il tenait un bar, d'ailleurs je ne le voyais pas là-dedans, à vrai dire je le croyais plutôt journaliste ou professeur, jusqu'à ce qu'une collègue des archives – qui sait que la cuisine m'ennuie, surtout le soir – me parle du Residuo, car elle vit à

---

* Ancien maire de Madrid (entre 1979 et 1986), particulièrement populaire, figure emblématique du Parti socialiste ouvrier espagnol (PSOE). Son enterrement rassembla une foule innombrable. *(N. d. T.)*

73

côté. Depuis, j'y vais assez souvent, parfois avec Tomás, mais en général seule. Ils sont mélancoliques et discrets, la femme est un peu plus remuante, elle s'appelle Trilce. Ils n'ont ni télévision ni machine à sous. Trilce est d'une bonne famille andalouse ruinée et elle prépare des plats savoureux qui calent bien, des recettes de sa grand-mère, une femme experte dans l'art de satisfaire la faim de plusieurs nichées de petits-enfants.

Trilce raconte des anecdotes de sa vie à tout bout de champ, chaque nouveau plat entraîne une histoire ou une heureuse idée de doña Amparo, la personne qui, apparemment, eut l'idée de monter cette affaire. Ce que j'ignore, c'est quand et comment Trilce a fait la connaissance de ses associés, qu'elle bombarde de plaisanteries affectueuses, signe d'une grande familiarité. Ils vivent tous les trois dans un appartement en terrasse près de leur établissement, mais je ne crois pas qu'ils soient parents.

Dès que j'eus fini mon plat de croquettes et une part de tarte au fromage, je fus gagnée par une fatigue irrépressible. Je contemplais les murs tapissés de photos d'acteurs de cinéma et de musiciens de jazz, et je ne pouvais supporter l'idée qu'ils me mettent dehors, même si en dérivant dans ce climat sous-marin je me sentais aussi vulnérable que chez moi, ils allaient sûrement fermer, il restait un client au comptoir et un autre attablé, ils ne parlaient pas, qu'est-ce que j'ai à voir avec cet endroit et avec l'histoire de ses patrons ? À qui manquerais-je si je cessais de venir ?

Je dus pourtant reconnaître que ce serait bien pire de me battre pour partager mon insomnie avec Tomás dans un logement provisoire, et qu'en réalité cela m'était égal qu'il se soit endormi enlacé à un autre corps qu'au mien, j'imaginai même le soulagement que j'éprouverais comme d'autres fois à me détacher doucement de cette étreinte et à chercher à tâtons un trou dans le mur, avide d'un cocktail d'étoiles.

Quelle tristesse, pas un bar proche, pas une pharmacie de garde, tout fermé, l'obscurité dehors, avec des arbres qui agitaient les bras autour de la façade, le bruit d'une moto au loin, et à l'intérieur rien, ne t'attends pas à trouver dans ce genre de refuge une bibliothèque pleine de livres imprévus, pas même une lampe de table, une décoration vulgaire, tout au plus un frigo minuscule avec des canettes et des cacahuètes, pas de poison ici, ils n'envisagent jamais sérieusement les besoins du client.

Je remarquai le téléphone public au fond, à côté du couloir qui mène aux toilettes, vert, auréolé d'une niche en plastique : il ne me disait rien et ne m'invitait à rien. La communication avec une chambre abstraite de la province de Jaén m'apparut sous un jour particulièrement routinier et cru, aucune consolation à en attendre. Mais qu'est-ce que je voulais donc ? En pareilles circonstances, on sent venir le malaise comme une grande marée, et on sait qu'il faut s'abandonner au roulis afin que l'intelligence s'aiguise et perçoive enfin les choses, avec une telle clarté qu'elles risquent presque de faire peur.

Il est dur d'admettre combien nous sommes casuels, incapables de transmettre autre chose que les reflets d'un esprit changeant ; et en même temps il est dur d'accepter les attitudes et les balbutiements que nous utilisons pour nous rapprocher obstinément de ceux que nous supposons inclus dans notre histoire. Entendre la voix de Tomás rebondir contre la mienne était devenu une sorte de respiration méphitique, l'air continue d'affluer jusqu'à ce que le poumon soit rongé, non sans avoir signalé auparavant, à diverses reprises, les dangers et la vanité de notre entêtement. Et j'étais dans cette situation.

— Tu veux que je mette un fado ? me demanda Moisés au comptoir. Tu as une tête de fado.

Je sortis de mon abstraction pour le regarder. Tout le monde était parti. Nous étions seuls. Et il ne me menaçait pas

75

de me jeter dehors, il me retenait. Ce fut comme un lever de soleil.

— Non, plutôt une musique des Caraïbes. Et un café, s'il te plaît, je suis dans le trente-sixième dessous.

Quand il me l'apporta, on entendait déjà la voix veloutée de Benny Moré. Ils ont une installation excellente. Il me demanda s'il pouvait s'asseoir avec moi. J'acquiesçai avec empressement.

— Ce serait terrible, lui dis-je, qu'en ce moment tu n'existes pas. Tu existes ? Donne-moi un baiser, pour voir.

Et devant sa mine ébahie, j'ajoutai :

— Excuse-moi, ce sont les effets d'une claustrophobie prolongée ; je ne pouvais pas sortir de chez moi, tu comprends, et pourtant j'en avais envie. Il y a combien de temps que je suis ici ?

— Une heure et demie environ, dit-il en se penchant pour m'embrasser. Mais il n'y a pas le feu.

— Alors tu ne me jettes pas dehors ?

— Mais non, voyons. Par contre, je vais baisser le rideau avant de m'asseoir. Quique et Trilce ont fait la caisse et sont déjà partis. Mais ça va me faire du bien aussi de parler un petit peu. Je n'ai pas sommeil. En fin de compte, nous sommes tous des naufragés. Qu'est-ce qui t'arrive ? Ton copain s'est absenté ?

— Oui, mais ce n'est pas cela, dis-je à voix basse.

... Alors qu'est-ce que c'était ? Je me posais cette question tout en le regardant me tourner le dos et baisser le rideau, il n'avait pas dû m'entendre. C'était sûrement quelque chose. Tomás, qui voit venir les ombres de loin, me répétait les même mots : « Toi, tu ne tournes pas rond », je n'avais pas voulu m'y raccrocher quand il les avait prononcés, c'était moi qui avais orienté la conversation sur une dispute idiote ; eh oui, je ne tourne pas rond, j'ai un truc profond et obscur – genre glissement de terrain – dont la menace encore imprécise me pousse à rêver d'un port où d'un abri à l'écart des va-et-vient pour y dormir. S'ancrer, mais où ? je ne connaissais aucun endroit réellement fiable, j'en avais peut-être connu, mais c'était des paysages où le vent ne soufflait pas, coincés dans des amas de photographies, un jardin avec des hamacs, une façade couverte de lierre, un clown en fer-blanc, une rivière, un bureau avec du feu dans la cheminée, des chevaux au galop, ces images contenaient beaucoup plus, elles s'estompaient derrière un rideau de pluie inépuisable, le déluge universel.

— À cette heure on est bien ici, dit Moisés en s'asseyant. Aujourd'hui la journée a été dure.

Je lui souris, je refaisais soudain surface dans ce refuge provisoire. Il s'était préparé un daiquiri.

— Oui, dis-je. Très dure. Surtout à cause du manque de secret.

Ce sont des choses que je lance sans réfléchir, Tomás les appelle des excroissances, je les lance et elles me font un drôle d'effet, alors je ne m'attends pas à des réactions. Mais Moisés en eut une.

— Fantastique ! dit-il. Tu me croiras si tu veux, mais tout à l'heure je pensais la même chose ! Voyons, de quoi les gens ont-ils soif ? L'idée m'est venue pendant que je servais une table, c'est bien la question d'un serveur qui s'ennuie, car en plus on a eu aujourd'hui une clientèle très vulgaire, il y avait un match au Bernabeu, ils étaient tous très excités et débraillés. Soudain j'ai lancé : « Soif de secret », tel quel, comme un flash, ça m'a paru être un bon titre pour une chanson ou n'importe quoi, et voilà que tu me le ressors, c'est drôle, non ?

— Moi, ça ne m'étonne pas. Il faut dire que tout est un peu drôle, pour peu que tu y mettes le nez. Drôle de vie la vie. Être assis ici, à nous parler et nous écouter, enfiler les phrases les unes à la suite des autres sans regarder aucun livre, ne pas en souffrir, avaler une boisson qui sache emprunter le chemin voulu et bifurquer au bon moment, être nourris par l'air quand d'autres ne le sont plus, avoir envie selon le caprice de nos tripes d'une chose ou de son contraire et permettre que cette envie détermine notre destin, cela fait beaucoup à la fois, non ? c'est trop, et le plus drôle c'est que nous trouvions cela normal.

Soudain, ce que je lui disais n'avait plus aucune importance, car peu à peu se répandait une richesse supplémentaire qui affluait en cascade : la musique de Benny Moré, qui étouffait l'autre courant. Je me tus, car je ne pouvais parler de tant de choses à la fois sans d'abord les comprendre, j'avais besoin de me concentrer toute seule sur cette nouvelle bizarrerie. J'attribuai à Benny Moré des origines de Cubain pauvre qui s'était raccroché au rythme créole pour échapper à la misère, une biographie genre course de côte et rhum à gogo, je confondais peut-être avec quelqu'un d'autre, j'étais presque convaincue qu'il était déjà mort, en tout cas le moment où sa voix s'était élevée ne recoupait pas celui de sa rencontre avec le Residuo et avec ses auditeurs ici présents. Je l'imaginai, chantant dans un local à l'air libre que j'ornai d'étoiles, de palmiers et d'un ressac de plage tropicale voisine ; les couples se regardaient dans les yeux, sentaient une impulsion indiscutable et libératrice : le rythme du corps jeune accouplé à la musique qui nous entraîne, elle ne s'arrête plus, elle ne peut s'arrêter, une date imprécise, enregistrement en direct, on entendait des applaudissements à la fin de chaque mélodie. Cette soirée qui se mêlait de façon intempestive à la nôtre avait sans doute précédé la procréation d'enfants mal nourris qui étaient peut-être aujourd'hui au bord de la délinquance dans une ville d'Amérique du Sud, tandis que leurs mères vieillissaient en songeant avec regret à ce bal sensuel et brûlant.

Mais en ce qui me concernait, l'irruption de Benny Moré m'éloignait du partenaire éventuel qui, encouragé par ma façon de trouver que la vie c'était une drôle de vie, parlait maintenant de Kierkegaard. J'aurais pu l'interrompre, l'inviter à danser, lui expliquer l'objet de mes pensées, mais il est dangereux de trop parler, et ce moment particulier qui s'était instauré entre Moisés et moi impliquait un pas que je n'avais aucune envie de franchir, son corps ne m'invitait pas au risque, tout simplement. Je m'imaginai arrivant avec lui chez moi, enlevant le linge et les livres du lit défait, réduisant la lumière, m'excusant de ne pas avoir de boisson, peut-être même lui racontant que ce n'était pas ma maison, que je n'avais pas encore trouvé ma place dans ce monde, et j'en fus horrifiée. Comment prend-on conscience que l'on n'a aucune envie de telle personne dans son lit ? je l'ignore, mais pas besoin de tergiverser, il s'agit d'une notion foudroyante, un point c'est tout. Quand je lui avais dit : « Donne-moi un baiser », je ne m'étais pas encore posé le dilemme qui maintenant se dessinait sans doute possible. Pour me fondre avec Benny Moré, mort ou vif, Moisés ne me servait à rien. Heureusement, rien chez lui ne m'obligeait à me mettre sur mes gardes ; nous avancions sur des chemins divergents, c'était tout, et le sien se dirigeait vers une destination aux contours brumeux : la philosophie existentialiste. On y était depuis un moment, tandis que Benny réclamait avec passion : « Danse mon *son* *. »

Face aux courants de nature platonique qui trouvent leur aboutissement chez Hegel, s'amorce une réflexion sur l'existence propre en tant que noyau de la spéculation philosophique. Je l'écoutais à demi, tambourinant des doigts sur la table et, quand nos regards se croisaient la distance augmentait. Le premier à s'interroger sur l'aliénation face à la vie fut Kierkegaard, il précéda Sartre et Heidegger, mais c'est qu'aujourd'hui les gens prennent tout cela pour des vieilleries, tu te rends compte ? alors que c'est d'une rageuse

---

* Le *son* est une danse typiquement cubaine. *(N. d. T.)*

actualité. Allons, pensai-je, il veut briller ou conjurer l'ennui d'une après-midi interminable à servir des consommations, et je le compris ; je trouve les serveurs héroïques, je le dis toujours, je me demande comment ils peuvent être aimables avec ces casse-pieds qui viennent boire. Il m'avoua qu'il n'avait jamais renoncé à écrire un livre où la philosophie existentialiste serait abordée sous l'angle d'aujourd'hui, une idée qu'il caressait depuis ses premières années de fac, mais qui avait évolué, entre autres raisons parce que cet « aujour-d'hui » est à chaque instant différent, ne trouvais-je pas que les jeunes étaient devenus beaucoup plus nihilistes ?... À la fin de ses études, il avait accumulé beaucoup de matériaux pour le livre, mais les je-m'en-foutistes avaient pris une autre voie, d'abord parce qu'ils ne s'appelaient pas encore des je-m'en-foutistes, ensuite la vie vous mène par le bout du nez, il avait dû se mettre au travail, prendre ce qui se présen-tait, comment faire autrement, il avait beaucoup de frères et sœurs, une famille qui avait peu de moyens et qui était par-dessus le marché rétrograde, « mon père, dit-il, si tu le secoues il en tombe des glands, avec lui il vaut mieux ne pas discuter et ne rien lui demander », maintenant il y avait plus d'un an qu'il avait repris son projet de livre, il se levait tôt et allait tous les matins passer une ou deux heures à la Biblio-thèque nationale, le meilleur moment de la journée, à la mai-son on n'est pas concentré, et il manquait de volonté, il voulait partir du *Concept d'angoisse* de Kierkegaard et le pousser dans la rue, l'endroit où l'angoisse est palpable. « Tu sais, elle est aussi palpable à la maison », dis-je ; mais il ne tint pas compte de mon interruption, absorbé par son idée. L'angoisse naît de la conscience de mortalité, dit-il, tout vient de là, de ce que nous allons mourir, et quand nous y pensons, nous en sommes toujours étonnés, comme si nous tombions des nues. On a beaucoup écrit sur ce sujet, c'est sûr, souligna-t-il tandis que l'on entendait les derniers

80

accords de *Fièvre de toi*, mais on peut toujours en proposer une version originale et surprenante, tu ne crois pas ? Et il me regarda pour la première fois comme s'il attendait mon opinion. Je laissai la pause s'incruster un peu.

— Je crois, dis-je, que le plus surprenant serait d'entendre le témoignage d'une personne décédée, pour voir ce qu'elle dirait, mais c'est difficile, les morts ne reviennent pas, sauf parfois dans les rêves, mais on n'a pas toujours le temps de noter leurs propos, car ils parlent, bien sûr, mais on oublie, on dit « c'était un rêve », alors qu'on n'oublie pas la facture du téléphone à payer. Il n'y a qu'eux qui savent que c'était une drôle de vie la vie, et au moment où ils l'ont compris, ils ne peuvent plus le raconter dans aucun livre.

Moisés s'abîma dans le silence et alla se resservir au comptoir. La cassette de Benny Moré était terminée et je commençais à m'ennuyer, un coup d'œil sur ma montre, tu sais, je vais m'en aller, allons, pas encore, on est si bien à discuter, tu es vraiment pressée ? bois un coup, je n'ai pas envie, attends donc que j'aie fini mon verre, encore un petit moment.

Et Moisés revint s'asseoir en face de moi, cette fois sans musique de fond. Le problème, dit-il, c'est de n'avoir personne avec qui partager ce que j'étudie sur le sujet, je me retrouve très isolé ; ça arrive à tout le monde, dis-je. Parfois il avait une vision assez claire du schéma du livre et il reprenait courage, mais – chose curieuse – quand on est seul, les périodes d'euphorie sont presque plus difficiles à supporter que les périodes de nausée. Et il passa directement à Sartre, comme il fallait s'y attendre. Est-ce que j'aimais *La Nausée* ?

— Ma foi, je ne sais pas, il me barbe un peu. Tout est systématiquement sans issue, et surtout cela manque d'humour. Moi, dans les romans, j'ai besoin d'un souffle d'humour.

Ça manque d'humour ? Dans quel sens ? Lui, à l'inverse, se sentait le frère d'Antoine Roquentin, comme de Heller, le personnage du *Loup des steppes*, c'étaient ses modèles littéraires préférés, il les enviait surtout d'avoir su éliminer la famille ! La famille, quel calvaire ! Lui, maintenant, il aidait financièrement son frère cadet qui était dans un centre de rééducation pour drogués, et le pire c'est qu'il comprenait qu'il se soit fourré là-dedans, comment ne pas le comprendre ? S'il parvenait à écrire ce livre, il avait l'intention de le dédier à son frère, ce qu'il voulait dépeindre, c'était justement cette confusion ou ce désespoir qui menait à des impasses, il se sentait plus proche de son frère que de ses parents, tous les deux retranchés dans une sorte de fortin, ils n'étaient liés que par leur manie d'être choqués de tout et par la phobie d'être éclaboussés par n'importe quoi, ça et l'argent étaient leurs seuls points communs, car ils ne s'aimaient pas du tout, ils se détestaient sans le savoir au milieu des bâillements et des phrases acides, mais ce n'était pas leur faute, en définitive ils lui faisaient de la peine. Par ailleurs que pouvait-on offrir aux jeunes ? Est-ce que j'en avais une idée ?

Je secouai négativement la tête, au fond, contre le mur, Vivien Leigh et Clark Gable s'embrassaient dans une scène d'*Autant en emporte le vent*. Moisés venait d'avoir quarante-deux ans et il se sentait très vieux, il avait la nostalgie de la lumière — même fugitive — d'un moment extraordinaire, comment ceux dont rêvait Anny, la fiancée d'Antoine Roquentin, dans *La Nausée*, il soupira, sa voix s'éteignit.

— Oui. Le moment extraordinaire. Nous en rêvons tous, dis-je.

Mais je ne me sentais pas oppressée. Il y eut un silence rédempteur, plein de corps gazeux qui ne demandaient qu'à être embrassés. Moisés s'excusa de m'avoir soûlée de paroles, mais il y avait bien longtemps, dit-il, que plus personne ne l'écoutait avec autant d'intérêt. Il me demanda si j'avais envie d'un daïquiri et je répondis par l'affirmative.

— Et maintenant, s'il te plaît, à toi de me raconter quelque chose, me dit-il en me rapportant mon verre.

— Une histoire de moments extraordinaires ?

— Oh oui ! Si tu en avais une...

Quand je voulus protester, j'étais déjà en train de siroter mon daiquiri à petites gorgées et de parler – à petites gorgées aussi – de ma mère, du jour où nous étions ensemble sur un bateau à moteur avec des amis et que la mer s'était soudain déchaînée. Nous avions couru un grand danger cette après-midi-là, des vagues comme des montagnes, et elle debout, encourageant tout le monde, le soleil se couchait et chaque jet d'écume pulvérisée donnait naissance dans l'air à un petit arc-en-ciel, comme si les couleurs étaient arrachées au cœur de la mer, et la peur devenait extase. Ce que je ne dis pas à Moisés, c'est que j'avais douze ans, je lui racontai cette histoire comme s'il s'agissait d'une excursion récente, disons de l'été dernier, coiffée telle que j'avais les cheveux à cette époque-là, avec la même robe, j'écoutais ma voix joyeuse et claire décrire ces récifs contre lesquels le bateau avait failli se briser, et nous renaissions, elle et moi, fouettées par la même bourrasque, riant ensemble, intouchables, intemporelles, au bord de la mort ; un coup de vent emporta son chapeau. Un bel exemple de moment extraordinaire, tu ne crois pas ?

Les yeux de Moisés s'étaient peu à peu remplis de lumière et je compris, comme les ivrognes qui savent qu'au-delà de ce verre ils ne pourront plus s'arrêter, que j'avais une soif inextinguible de mensonges.

— Tu me donnes envie, dit-il. Moi, avec mes parents, ça a toujours été invivable. Quel âge a ta mère ?

— Deux mois et quelques. Ceux qu'elle a depuis sa mort.

Le visage de Moisés s'assombrit comme devant le dénouement tragique d'un roman. Je baissai les yeux et autour de mon verre s'allumèrent de petites lumières suggestives. Bleues, rouges, vertes. Je devais suivre la piste du scénario inattendu que je venais de trouver pour attiser la soif de ce regard qui pressentait la désillusion et semblait réclamer quelque chose de plus, un chapitre supplémentaire. Et si je lui préparais une boisson forte, si je me lançais ? Moisés et moi, nous nous connaissions à peine et il n'allait pas se mettre en quête de la vérité, il avait simplement envie d'un récit extraordinaire. Ce serait une façon glorieuse de conclure une journée aussi plate, aussi exempte de passion et de secret. Je le regardai. Il était ému.

— Je suis vraiment désolé ! dit-il. Ça doit être horrible.

Je bus la dernière gorgée de daïquiri, ce qui me décida.

— C'est qu'en plus... dis-je. Non, rien.

Ses mains s'avancèrent avec délicatesse et résolution pour recouvrir les miennes. Dehors, on entendit des pas s'approcher. Puis s'éloigner. Moisés retenait sa respiration.

— En plus... quoi ? demanda-t-il dans un murmure.

— Promets-moi que tu n'en parleras à personne. Que cela restera entre toi et moi.

— Juré.

— C'est que... nous ne savons pas comment elle est morte. Voilà bien le plus grave.

— Pour de vrai ?

Le mot « vrai » se mit à flotter, tel un nuage effiloché, au-dessus des bouteilles alignées derrière le comptoir, puis alla auréoler les têtes de Clark Gable et Vivien Leigh, serpenta au plafond, le local lui-même n'avait plus rien de vrai.

— Que veux-tu dire par là ? insista Moisés devant mon silence.

— Je ne sais pas, je ne sais plus où j'en suis. Pour le moment, ce ne sont que des soupçons. Une enquête policière a été ouverte. Je n'aurais pas dû te le dire, tiens ta langue, pour l'amour de Dieu.

Je me levai effrayée. Il fallait que j'arrête. Je finissais par y croire. Mais les éclairs dans les yeux de Moisés me payaient au centuple. Je lui demandai de m'excuser et surtout de ne me poser aucune question. Il fallait que je m'en aille, je ne me sentais pas bien. Il me raccompagna jusqu'à la voiture, silencieux et fasciné, sa main effleurant mon coude pour m'aider à traverser la rue. S'il avait soif de secret, je lui en avais injecté une bonne dose. Mais je me rendais compte aussi que je me fermais pour longtemps, peut-être pour toujours, la porte du Residuo.

— S'il te plaît, oublie ce que je t'ai dit, lui demandai-je par la fenêtre.

— Ne t'inquiète pas. Prends soin de toi. Tu es sûre que tu te sens bien et que tu peux conduire ?

— Sûre. Merci de m'avoir tenu compagnie. Au fait, quelle étourdie, je ne t'ai pas payée.

Il retint d'un geste ma main qui allait fouiller dans mon sac.

— Laisse tomber, tu me paieras demain. Reviens demain, je t'attends, d'accord ?

Je sortis la tête pour lui donner un baiser, mais je ne lui promis rien.

Je rentrai chez moi en décrivant un long détour sans but précis. Il était très tard, les rues étaient presque désertes et fraîchement arrosées. Je brûlais certains feux rouges, le pied au plancher, frémissante de plaisir. Un souffle d'air frais ébouriffait parfois mes cheveux.

À un moment donné, je fus saisie par la tentation d'aller dans le quartier de ma mère et de passer lentement devant sa maison, les lumières du quinzième étage seraient peut-être allumées et l'on apercevrait des formes suspectes à l'intérieur, à travers les carreaux. J'attendrais, postée dans la ruelle d'en face, tous phares éteints. Je réagis presque aussitôt et fis brusquement demi-tour. Mes mains tremblaient légèrement.

— Est-ce possible ? me dis-je. Je suis aussi folle que lui, tout s'attrape. Je vais finir comme Vidal y Villalba.

VIII

Un chat qui écoute

Pendant un long moment, j'avais hésité : téléphoner ou arriver par surprise ? Je crois que la seconde solution – moins compromettante dans la mesure où elle était la plus absurde – s'était soudain imposée à mon insu, car, jusqu'à ce que je sorte de Madrid par la Moncloa, je n'avais aucune idée de ma destination. Un taxi klaxonnait derrière moi pour m'avertir que la portière droite était mal fermée ; ayant remédié à la situation et l'ayant remercié d'un geste, j'avais alors aperçu au-dessus de la boîte à gants le petit papier jaune « Aller voir papa » collé sur une feuille de bloc-notes, avec le plan qu'il m'avait dessiné pour arriver jusqu'à la résidence où ils venaient de déménager fin avril, après la mort de maman, c'était au-delà de Las Rozas. Il ne s'agissait pas d'une maison de week-end, m'avait-il alors expliqué, mais d'un déménagement définitif. Montse ne supportait plus le bruit à Madrid, « mais tu vas passer tes journées sur la route ! » Il avait haussé les épaules, « rien n'est parfait, ma fille, nous le savons bien, mais cette solution a ses avantages », avec un sourire qui, je m'en souvenais, transpirait la fatigue, la soumission et la vieillesse naissante.

Je me perdis et j'arrivai tard. Non que je sois dépourvue du sens de l'orientation, mais parce que j'étais un peu sonnée. Le jour même, au petit matin, j'avais entamé mon cahier sur Vidal y Villalba en revenant du Residuo, consciente d'aborder une nouvelle étape – je ne savais si elle serait longue ou courte – dans laquelle l'insomnie terrasserait la côte escarpée des mystères douloureux pour amorcer le chemin fleuri des mystères glorieux.

Au point du jour, j'étais si bien réveillée que j'avais eu le courage de ranger la cuisine, la partie la plus fraîche de la maison, de la nettoyer à fond et de la transformer en bureau provisoire. Je remplaçai le mixer par une lampe et poussai la grande table contre la fenêtre. Je n'avais jamais envisagé d'écrire à cet endroit-là, j'avais l'impression d'un miracle en la voyant dépouillée de ses accessoires culinaires, métamorphosés en livres et chemises, en constatant que j'avais été capable de créer un espace si personnel sur la géographie d'un autre espace qui n'avait jamais cessé de sécréter l'ennui ni de s'imposer à moi comme un univers étranger. Inventer des possibilités nouvelles revenait à caresser un malade délaissé et à lui arracher enfin un sourire.

Je m'arrangeai pour composer un ensemble harmonieux avec les objets dont j'avais besoin et que je prenais tranquillement dans les autres pièces, livres, presse-papiers, fichier, pendule, un petit plateau pour les crayons et même un bouton de rose – coupé sur la terrasse – dans un pot. Gérondif, le chat gris tigré blanc et cannelle me suivait à la trace en miaulant et en se frottant contre mes jambes. Je lui donnai un bol de lait, qu'il but en se pourléchant les moustaches, puis il monta d'un bond sur la table et s'installa sur une *Histoire du règne de Charles III* avec une telle élégance que je fus incapable de lui dire ouste ! Il ressemblait à un totem. Toute l'âme de cette pièce, naguère inhospitalière, sortait de sa léthargie et revivait.

J'ouvris le cahier et m'assis. D'abord, en prélude, parler de Tupac Amaru. Pendant un moment, je restai immobile, respirant en rythme, les coudes sur la table, le front dans les mains et les yeux fermés, comme si j'étais en prière. Je n'avais absolument plus sommeil, et je ressentais ce flottement d'irréalité qui précède les surprises, de temps en temps j'entrouvrais les paupières, et la lumière de la lampe, en rebondissant sur l'échine veloutée de Gérondif, semblait envoyer en langage chiffré des avertissements qui trouvaient un écho dans son doux ronronnement, plus humain que félin. Finalement, je me rendis compte que c'était avec lui que je devais parler, avant d'écrire quoi que ce soit : il s'était juché là pour m'écouter et si je lui racontais l'histoire de Tupac Amaru comme à un chat de conte de fées, non seulement il l'écouterait, mais peut-être m'aiderait-il à mieux la comprendre grâce à l'apport d'une information secrète. Je relevai la tête et nous nous dévisageâmes.

— D'accord, lui dis-je. Réclamation accordée. Je vais commencer, mais voyons d'abord par où...

Je rassemblai les notes et les fiches qui contenaient les citations les plus savoureuses concernant cette narration préliminaire, et je les disposai en demi-cercle entre mon cahier et le piédestal de livres sur lequel il s'était perché. Il me regardait préparer cette sorte de jeu de tarots de nécromancien en plissant ses yeux verts et savants.

— Tu vas voir, Gérondif... Alors voilà, l'Espagne a conquis l'Amérique, qui était un pays immense peuplé d'Indiens qui vivaient en liberté avec leurs propres rites, leurs danses et leurs coutumes, quand Christophe Colomb est arrivé avec ses caravelles et les a obligés à filer doux, selon la volonté des Rois Catholiques, mais tu dois déjà savoir tout ça, c'est dans toutes les encyclopédies et je ne veux pas m'étendre là-dessus. Deux siècles passent, la volonté de soumettre les Indiens et d'en faire les sujets obéissants du roi d'Espagne s'intensifie à mesure que l'on découvre de nouveaux pays et de nouvelles mines d'or, on ne parvient pas à les gouverner et, hop, on envoie là-bas des militaires, des vice-rois et des administrateurs à la main lourde pour y exercer leur pouvoir, mais ces gens-là ne pouvaient s'entendre avec les autochtones, impossible, c'est comme si je voulais absolument te couper la queue pour que tu sois moins chat, cela entraînerait un tas de problèmes. Et nous arrivons au règne de Charles III, tiens, d'ailleurs c'est une période de l'histoire sur laquelle tu es assis et je risque de te demander bientôt de te pousser pour chercher une référence, non, pas tout de suite, tu peux rester tranquille, je vois que tu me comprends, en revanche moi je mélange un peu tout.

Je pris conscience d'une chose très surprenante. Chaque fois que je m'arrêtais, le ronronnement de Gérondif, qui avait pris fin, bercé par mes paroles, reprenait avec des accents de plus en plus tendres, comme la protestation d'un enfant qui a peur qu'on ne lui prête plus attention. Ça n'est pas vraiment pleurer. Je ne crois pas qu'il existe un mot dans le dictionnaire pour décrire une telle chose, qui tient un peu du gémissement érotique. Elle a le son d'un *u* fermé qui cherche à sortir par le nez. Soudain, je me suis rappelé que ma mère appelait cela « nafrer », un des nombreux mots qu'elle inventait, toute petite j'émettais ce bruit quand elle venait me raconter des histoires le soir et qu'elle s'interrompait brutalement, peut-être pour voir si je m'étais endormie. Je me trouvais devant la première donnée secrète, déterrer une petit caillou perdu. Je caressai la queue du chat.

— Cesse de nafrer, Gérondif. J'étais simplement en train de penser. Il vaut peut-être mieux ne pas trop penser pour raconter une histoire, mais il faut reconnaître que dans celle-ci, il s'en passe, des choses. Excuse-moi, j'ai besoin de faire un dessin.

Je me mis à dessiner une carte de l'Amérique et le contour de l'Espagne en haut à droite, pour qu'on se rende compte de la distance qui séparait les deux pays, l'étendue d'eau que devaient sillonner les navires pour rapporter des colonies des nouvelles et des marchandises à Charles III, ce monarque affable et pieux qui chassait le cerf dans le palais du Pardo. Je sais très bien dessiner les cartes, j'en éprouve un plaisir particulier, l'histoire n'est pas compréhensible sans la géographie, j'étais ravie d'avoir apporté des crayons de couleurs sur le petit plateau ; autour des côtes, le bleu de la mer est plus intense et forme un nimbe.

— Tu te rends compte, Gérondif, comme Madrid est loin du Pérou ? C'était un va-et-vient continuel, des bateaux, encore des bateaux, mais tous les Espagnols y allaient pour leur propre compte, pour faire fortune, et personne ne se souciait du profit des Indiens, on les prenait pour des sauvages emplumés, et le malaise grandit, car ils ne supportaient plus tous ces impôts ni tous ces châtiments. C'était la faute des corregidors, c'est écrit ici : « D'authentiques accouplements de commerçants et de juges qui avaient détourné le cours de la justice à l'instar de celui du commerce » ; et aussi celle des employés des douanes. De jeunes Indiens d'Arequipa en vinrent à tuer dans leurs jeux un de leur compagnon qui avait endossé avec plaisir le rôle de douanier, tu vois où en étaient les choses, je te parle de 1770, je me demande où tu étais à cette époque-là, Gérondif, et à quoi tu ressemblais.

« Bon, allons au Pérou, cette grande province que j'ai peinte en jaune avec des ombres marron au milieu : la cordillère des Andes. C'est là que sont nés les premiers mouvements de révolte, car, selon un rapport, " on ne laissait pas le temps aux Indiens d'émettre une plainte ". Mais une plainte, on peut l'écrire, et des libelles bien argumentés étaient diffusés, qui chantaient merveilles du gouvernement paternaliste des anciens rois incas, opposé au despotisme des corregi-

91

dors. Entre Tucumán et Cuzco, un jeune et beau muletier, un descendant des princes, prêchait l'insurrection et lançait des pamphlets à tout vent. Je parie que tu aimes le tour que prennent les événements. Il s'appelait Tupac Amaru, ce qui signifie : " Resplendissante couleuvre ".

À ces mots, la queue de Gérondif opéra une reptation lente et solennelle qui me surprit. Je n'osai pas le regarder dans les yeux. Mais le soupçon foudroyant qu'il savait déjà tout ne put m'empêcher de poursuivre. Cela ajoutait au contraire de l'émotion à mon récit.

— José Gabriel Tupac Amaru, descendant des anciennes dynasties du Pérou, avait fréquenté l'université de Lima. Il devint le chef d'une guerre qui commença le 4 novembre 1780, quand il passa lui-même un lacet autour du cou d'Arriaga, qui chevauchait sur sa mule et qu'il pendit haut et court. Immédiatement, il recruta des hommes, s'enfonça dans la montagne et établit son campement sur des hauteurs escarpées, aux abords de défilés et de gués difficiles à franchir. Voilà comment il était, je te lis :

> Il montait toujours un cheval blanc, portait un costume en velours bleu galonné d'or, un balandran grenat par-dessus la chemisette ou « unco » des Indiens, un tricorne et, comme insigne de la dignité de ses ancêtres, un galon d'or ceint à son front, et une chaîne au cou du même métal, à laquelle était suspendu un soleil. Son armement comprenait deux tromblons, des pistolets et une épée ; les foules lui manifestaient continuellement leur enthousiasme et leur révérence.

« La guerre dura peu, Gérondif, six mois. Elle fut très cruelle et les Espagnols la gagnèrent, mais moins aisément qu'ils ne l'escomptaient, c'est pourquoi ils conservèrent cette peur des Indiens et de ceux qui appuyaient leurs projets.

Ils envoyèrent six colonnes de quinze mille soldats sous le commandement d'un certain José del Valle, mais chaque fois Tupac Amaru leur échappa.

« Quand ils purent enfin le capturer, ils le passèrent par les armes sur la grand-place de Cuzco, lui, sa femme Micaela Bastida, son fils Hipólito de vingt ans et je ne sais combien de parents et d'amis. C'était le 18 mai 1781, je te lis le récit d'un témoin, bien qu'il soit très triste, et naturellement il me serre le cœur :

> *La cérémonie s'acheva avec le rebelle José Gabriel que l'on amena au milieu de la place, où le bourreau lui coupa la langue ; une fois dépouillé de ses fers et menottes, il fut étendu à terre, on lui lia les mains et les pieds par quatre liens rattachés aux harnais de quatre chevaux menés par quatre métis aux quatre coins, spectacle qui ne s'était jamais vu dans cette ville. Je ne sais si les chevaux manquaient de puissance ou si l'Indien était en réalité en pur acier, mais on ne parvint à l'écarteler qu'au bout d'un long moment de tiraillement, en sorte que, maintenu en l'air en telle posture, il ressemblait à une araignée.*

D'un bond agile, presque un vol, Gérondif sauta du piédestal de livres sur mes genoux, se pelotonna et se mit à miauler de façon déchirante. Penchée sur lui, je lui embrassais les oreilles et lui caressais le cou, et j'avais presque les larmes aux yeux.

— Pauvre Tupac, murmurai-je. Heureusement qu'il existe la réincarnation.

Puis j'éteignis la lampe, car la clarté du jour nous inondait, et Gérondif s'échappa sur la terrasse. Il était redevenu le chat vagabond qui s'était glissé dans notre appartement l'été précédent en sautant de toit en toit malgré sa patte cassée. Je descendis un peu la persienne et me préparai un café. Je n'en revenais pas de voir les changements de rythme qu'adopte le temps pour s'écouler à certains moments, en fonction de nos bonnes ou mauvaises dispositions pour collaborer.

À neuf heures et demie, j'appelai les archives et demandai Magda, une collègue qui m'aime beaucoup, au point d'être parfois importune. En réalité, c'est ma supérieure. Je pris une voix fiévreuse, j'y arrive très bien. Je ne pouvais pas venir. J'avais passé une très mauvaise nuit à frissonner. J'avais maintenant la tête lourde et la gorge en capilotade.

— Cela ne m'étonne pas, dit-elle, à force de transpirer ! Tu as l'air conditionné ?

— Oui.

— Ne m'en dis pas plus, c'est la mort de l'humanité. Tu devrais prendre ta température.

— Je l'ai déjà fait. J'ai trente-neuf cinq.

— C'est énorme ! Prends immédiatement du Clamoxyl. Il y a quelqu'un pour s'occuper de toi ? Sinon, je peux passer te voir cette après-midi et t'apporter ce dont tu as besoin.

— Merci, mais ce n'est pas la peine. Ma belle-mère est ici.

Ce fut mon dernier mensonge avant d'entreprendre de tirer au clair ou simplement de recenser l'un après l'autre ceux de Vidal y Villalba, pour voir si tous ces petits cailloux m'aideraient à reconstituer un chemin jusqu'à sa paranoïa d'intrigant raté.

Mais l'essentiel, dans cette nuit presque blanche, c'est que le résumé oral à l'intention de Gérondif m'avait ouvert les portes de l'écrit. Je perdis toute considération pour le cahier de Tomás et ce fut comme ouvrir une vanne, je le commençai avec décision, sans craindre ni ratures ni répétitions. C'était un brouillon. Bon, et alors ? Il s'agissait de raconter l'histoire plus ou moins échevelée d'un monsieur menteur, mais qui n'était pas une invention, attention, il s'agissait de quelqu'un qui avait réellement existé, et les vies sont toujours un brouillon, telles que nous les supportons, on n'a jamais le temps de les mettre au propre; l'avantage de celle-ci, c'est qu'elle ne m'entamait pas, je pouvais même l'étoffer de commentaires expliquant pourquoi je m'y étais intéressée, elle ne m'obligeait pas à mentir.

« Pour Ambroise Dupont, qui m'a offert une fleur en papier », écrivis-je sur la première page.

IX

UNE ÉTAPE À LAS ROZAS

Bien que n'ayant pas fermé l'œil depuis plus d'une trentaine heures, mes réflexes fonctionnaient bien, mais après les
sorties de El Plantío et Majadahonda, le soupçon aigu de
vivre une hallucination m'obligea à mobiliser tous mes
talents de bon sens pour l'empêcher de progresser. J'arrivais
à Las Rozas et les panneaux de Leroy & Merlin, matériaux
de construction, Europolis et Campsa me donnaient le vertige, recouvrant abusivement une autre scène ayant le même
décor, dans laquelle un escadron de cavalerie escortait un
criminel de poids, qui prétendait s'appeler Luis Vidal y Villalba, et que je venais de laisser dans ma cuisine, les fers aux
pieds et en plein délire.

Je quittai la route nationale et entrai dans la ville de Las
Rozas, malgré le plan de mon père qui spécifiait clairement
que ce n'était pas la bonne route pour arriver jusqu'à sa résidence. Il avait même dessiné – l'un à côté de l'autre et séparés par un trait – deux itinéraires différents, chacun avec des
flèches et des petites croix, et un X rouge barrait celui que je
prenais, intitulé de sa propre main « option n° 1 », je me rappelle le gros feutre qu'il avait utilisé avant de l'échanger
contre un stylo-bille pour écrire en dessous : « piste trom-

97

peuse », à ce moment-là je n'avais pas identifié les mots, je n'avais même pas essayé, étant alors incapable d'efforts, tout m'était égal, mais j'étais contente qu'il ait renoncé à d'autres sollicitations pour s'occuper de moi. C'est un aparté qu'il m'avait accordé à la sortie du cimetière, évitant l'embouteillage de voitures qui essayaient de démarrer, je venais de lui demander de ne pas m'appeler pendant quelque temps, car j'avais besoin d'être seule. « Promis, papa, j'irai te voir au moment où tu t'y attendras le moins, tu me connais. Mais pas tout de suite. » Nous échangeâmes un regard à travers le verre fumé de nos lunettes, il y avait beaucoup de vérité dans ce brouillon commun de lumière qui nous isolait du bruit des pas et des voix, de l'odeur intense des fleurs condamnées à mourir. En guise de réponse, il me prit par les épaules et m'entraîna à l'écart de la foule. « Si je ne t'explique pas clairement où nous vivons, tu auras encore plus de mal à prendre l'indécision, dit-il en souriant. Tu sais, ce n'est pas facile à trouver. Même moi, si je suis distrait, je me trompe, je te note aussi le téléphone, mais tu peux très bien arriver sans t'être annoncée, tu es du genre coups de tête impétueux. » Il s'assit sur un banc et je restai debout devant lui, le regardant sortir un bloc de la poche de sa gabardine et l'appuyer sur ses genoux, je constatai avec émotion qu'il portait sur lui un bloc et un feutre rouge, et qu'il avait cité les deux pôles entre lesquels se dévide l'écheveau de mes jours : l'impétuosité et l'indécision ; mes yeux de somnambule s'attardèrent sur les cheveux blancs qui parsèment ses cheveux depuis quelques années, sur ses doigts toujours agiles et les lignes insolites qu'il traçait sans hâte pour m'aider à trouver un chemin précis (il avait dû se rendre compte que je marchais sans boussole), peut-être un pont ou un tunnel, qui sait, c'était sans importance, les rébus vous arrachent à l'inertie et poussent à l'aventure, dès l'instant que l'on a décidé de les déchiffrer. Il était en train d'en inventer un pour

98

moi, quand j'étais petite nous aimions tous les deux les rébus du journal, je me plaignais de ce qu'ils étaient trop faciles, je me rappelle l'odeur du supplément dominical, mon envie de connaître les gens dont je voyais le portrait dans la presse, d'être grande, de partir en voyage sans but, j'adorais les films où les jeunes passaient leur temps sur la route à faire de l'auto-stop. Papa travaille dans une boîte de design publicitaire, il gagne maintenant beaucoup d'argent, mais quand il s'était fiancé avec maman, tous les deux voulaient devenir des peintres célèbres, elle persévéra, mais lui devint pendant quelque temps dessinateur chez un architecte, ce sont des anecdotes qui appartiennent à la préhistoire. Il semble que ma venue au monde marqua la fin des rêves de vie de bohème et sans doute le début de ces bruits de termite qui cimentent toutes les disputes à huis-clos dont le gaz empoisonné s'échappe par la rainure sous la porte, arguments illogiques forgés de mauvaise manière et jetés dans la poubelle de ma mémoire, archives dans lesquelles personne n'est jamais venu mettre de l'ordre. Mais lorsque papa se met à dessiner – pensai-je ce jour-là –, tout se dissipe comme un mauvais rêve et plus personne n'a d'âge, le lendemain n'a plus de crocs menaçants, une musique paresseuse s'élève, nous nous sommes levés tard tous les trois et on sent le café, c'est dimanche.

J'aurais pu lui répliquer que je n'avais presque plus de « coups de tête impétueux », m'asseoir sur ce banc et fondre en larmes, suspendue à son cou, à cause de tout cet imbroglio, à cause de la brisure, de l'incompréhensible, de tant de rébus non résolus. Mais je ne bronchai pas, ne sortis même pas les mains des poches de ma veste, je me souviens du contact du porte-clés, un saint Christophe en relief. Il se leva, m'embrassa et me donna le papier, insistant pour que je ne le perde pas. « Ne t'inquiète pas, je ne le perdrai pas. » Plus loin, Montse réclamait sa présence, inquiète d'avoir perdu sa trace depuis quelques secondes, « Ismael, je t'en prie, Ismael », même à un enterrement elle est incapable de se cantonner discrètement dans la pénombre ; elle s'approchait à petits pas tandis que je prenais la feuille de bloc et la pliais soigneusement, et ce pot au noir entre mon père et moi s'obscurcit, coincé entre les deux parenthèses noires de nos lunettes, d'autant plus insondable que nous mettions du temps à nous séparer, telle une forêt secrète et inquiétante dont les périls nous unissaient, à laquelle elle ne pourrait jamais descendre ni accéder, même si elle agitait une main et élevait la voix pour essayer de détourner notre attention vers un problème anodin lié à certaine voiture qui empêchait les autres de partir si elle n'était pas déplacée immédiatement, papa fit un pas hésitant dans cette direction, quelle voiture ? Elle répondit : « La Volvo, Ismael, notre Volvo », et ses mots avaient une résonance obscène sur ses lèvres soulignées par un rouge carmin très foncé. Derrière elle s'approchaient d'autres groupes, comme dans une séquence au ralenti, des gens qui n'appartenaient peut-être pas tous à notre cérémonie, certains viennent d'autres histoires, comme Vidal y Villalba s'était retrouvé avec l'évêque de Mondoñedo, ils ont un air égaré, regardent autour d'eux et fondent en larmes sur une épaule avant même d'ouvrir la bouche, mais ils se sont trompés d'épaule, et celle-ci se demande si elle doit se débarrasser de l'intrus ou l'accepter en tant que membre du deuil universel, en fin de compte tous les absents, que ce soit par leucémie, vieillesse, accident de voiture, cancer ou coup de poignard, ont ceci de commun qu'ils brillent par leur absence, qu'ils laissent le même sentiment d'orphelinage, la même trace de perplexité.

Dans les enterrements, on retrouve toujours cette impression de désarroi, cette sensation de rôder autour des sables mouvants, et l'angoisse vient de ce que l'on ne sait pas qui coordonne l'expédition, dont on connaît mal les critères ;

jamais les vivants ne se sont entre-regardés avec autant d'avidité, espérant en découvrir un qui ait l'aspect ou les gestes d'un capitaine. Au moindre faux pas, nous risquons de partir en spirale pour une destination inconnue, aggloméré aux victimes dont nous ne voulions rien savoir, mais qui se bousculent, collées à notre flanc.

J'eus beaucoup de mal à plier la feuille du bloc, à la ranger et à articuler un « merci, au revoir papa » qui ne laisse transparaître aucune émotion, au lieu de l'embrasser près de l'oreille et de lui dire tout bas : « S'il te plaît, ne t'en va pas, oublie Montse, ne l'écoute pas, ne te laisse pas enlever par elle, que fait Montse ici, allons prendre un café tout de suite, échappons-nous ventre à terre, si je prends mes jambes à mon cou, tu me suis ? » Mais je me contentai de dire merci et au revoir.

J'ai passé plus de la moitié de ma vie à dire à mes parents des choses qui n'avaient rien à voir avec ce que j'aurais voulu leur dire, éduquant ma voix pour qu'elle soit assortie à une trahison qui cessa d'en être une à mesure que ma volonté faiblit, cédant aux pactes de dissimulation et de demi-vérités que leur relation proposait sous forme d'un palliatif discret qui visait à soulager l'inquiétude sans fouiller dans ses causes. À un âge assez précoce, j'appris à me regarder dans ce miroir tordu où mon visage était en partie caché par les leurs, mais je réalisai que les sourires étaient tordus quand il se mit à ne refléter que maman et moi toutes seules, avec l'ombre de papa en toile de fond. J'essayais d'effacer cette ombre, je l'astiquais avec rage à chaque instant, mais elle réapparaissait comme la tache de sang sur la clé de Barbe-Bleue ; dans le miroir les traits se figeaient, rien n'était vrai, il manquait un pied à toutes les chaises, l'air se raréfiait, sur les étagères il y avait de la cendre à la place des livres, ma figure était bleue et les silhouettes basculaient comme des pantins mal posés qui sont sur le point de tomber. Je m'interrogeai alors, serait-ce que depuis toujours les unes étaient mal assorties aux autres, et que chacun devrait vivre pour son propre compte, comme elle aimait à dire, partir à la conquête de sa propre ration d'air ? Maman regardait par la fenêtre quand elle laissait tomber cette proposition teinte de la couleur de ses pinceaux, jaune bilieux, nacré ou grenat, et mon cœur se serrait devant son profil aigu d'oiseau impatient. « Pourvu qu'il ne s'en aille pas, pensais-je, pourvu qu'il ne s'envole pas », puis tout redevenait comme avant, mais cet avertissement pouvait se manifester inopinément, et nous le savions. Qu'il est difficile de trouver sa propre ration d'air, d'affronter l'air libre quand on s'est habitué aux draps chauds, de quitter la grotte sans rancœur ni douleur, d'accepter d'oublier ce qui n'a pas été compris !

De toute façon, je finis par comprendre – mais j'eus du mal – combien mon image s'était déformée dans un miroir terni par des vices d'origine obscure dont j'héritais à l'aveuglette, ni coupable ni joyeuse. Or, un jour je criai assez ! et je brisai ce miroir. Mais je m'y pris mal, car je me coupe encore à ses éclats. Je n'ai pas su les balayer. Mes coups de tête impétueux n'ont pas servi à grand-chose. C'était sûrement de cela que j'avais envie de parler avec papa. Mais je savais que je n'en ferais rien.

Je garai la voiture sur une petite place et j'en descendis pour humer l'air qui commençait à souffler. Le temps était moins lourd que la veille. Je m'assis à la terrasse d'un bar, commandai une bière et pris la feuille de bloc dans mon sac. Sous l'itinéraire barré d'un X rouge était écrit : « Piste trompeuse. Par là, tu es sûre de te perdre. » Et voilà, – soupirai-je –, j'avais pris la piste trompeuse, ce n'est pas une situation nouvelle pour moi et elle a ses mérites, car elle invite à réfléchir. Dans les jeux d'enfants, dans les contes de fées, dans les devinettes, il y a toujours une ou plusieurs pistes trompeuses. Plus tard aussi, dans les romans policiers, dans l'enquête judiciaire et dans les interrogations sur l'attitude suspecte d'un amant. Juxtaposer vérité et tromperie est le jeu par excellence, mais il est difficile : ou bien nous nous trompons, ou bien nous sommes trompés.

En outre, plusieurs parties simultanées se jouent sur le même damier, nous n'en menons jamais une seule, même si l'on est persuadé du contraire. Par exemple, si je me lançais dans des recherches sur un aventurier du XVIIIᵉ siècle et ses mensonges, n'était-ce pas pour échapper à une autre enquête en cours, beaucoup plus tortueuse, qui recoupait celle-ci ? Voilà pourquoi je m'étais perdue et j'avais dû m'arrêter pour récapituler ; un nœud, un carrefour, une étape à Las Rozas.

La bière était fraîche et je me sentais bien. J'en commandai une autre. Las Rozas n'était plus un village, mais un district rattaché à Madrid, et il ne restait plus trace des constructions du XVIIIᵉ siècle, s'il y en avait jamais eu. Je regardai alentour, des bars, un supermarché, une boîte aux lettres jaune, un couple de métis, des jeunes en moto, une dame et son chien, des voitures mal garées, comme dans n'importe quel quartier. Tout était un mirage trompeur, cela ne pouvait même pas me servir de décor pour évoquer l'arrivée d'un escadron de cavalerie escortant un prisonnier attendu à la Cour avec méfiance, car on le soupçonnait d'être très dangereux : il avait conspiré à Londres avec des jésuites rebelles, il avait pu connaître Tupac Amaru et ses partisans, il fallait donc le soumettre à la torture pour qu'il avoue, pauvre don Luis. La vérité que je devinais – c'est pourquoi je m'apitoyais sur son sort –, les ministres de Charles III ne la connaissaient pas et ne sauraient pas l'arracher à cet accusé incapable d'emprunter des chemins qui le fassent descendre de l'illusion, lui qui en arrivant à Las Rozas était déjà empêtré dans un enchevêtrement de mirages. Peut-être n'aurait-il pas accepté que je m'approche pour lui arracher son masque de conspirateur. Il aurait pris cela pour plus humiliant que la prison elle-même.

Je payai la seconde bière et quand je me levai, je me sentis très agréablement détendue, j'avais envie de dire ou de faire une sottise. Tout était si insignifiant...

En traversant la petite place pour reprendre la voiture, je décidai de demander à brûle-pourpoint où je pourrais trouver don Luis Vidal y Villalba à deux dames d'âge moyen qui regardaient une vitrine. L'une haussa les épaules, mais l'autre dit :

— Vous voulez dire Vidal y Varela.

— Ma foi, je ne sais pas, je me suis peut-être trompée.

— Qui est-ce ? voulut savoir l'autre.

— Tu sais bien, le nouveau stomatologue qui vient de s'installer. C'est dans la rue, en face, au numéro 5. Mais je me demande s'il n'a pas déjà fermé son cabinet.

— Il est dentiste, le monsieur que vous cherchez ? s'enquit l'autre, très surprise de mon silence.

— Possible, auparavant il était en prison. Vous savez, madame, la roue tourne et nous nous trompons souvent. Quoi qu'il en soit, merci beaucoup.

Je remontai dans la voiture avec un sourire et elles me regardèrent partir comme si j'étais folle à lier. Mais je m'étais bien amusée ! Il existait quelque part une sorte de double de l'accusé du XVIIIe siècle, dont le nom, tout bien regardé, était plus celui d'un dentiste que celui d'un conspirateur. Mais j'avais les dents en bon état. Je mis la musique avant de démarrer.

X

Visite au village indien

J'arrivai tard à la résidence de mon père, après mille détours.
Je dis tard parce que le soleil s'était couché, et non parce que
l'on m'attendait. Il y avait un réverbère allumé devant certains
perrons, et par les portes ouvertes on voyait la clarté mouvante
et colorée des postes de télévision. Presque toutes les rues
latérales, d'un tracé récent, étaient en cours de construction et
les grues abondaient. Il n'y avait personne en vue.

J'avais ralenti dans l'avenue principale, et mon regard
errait sur les jardins et les grilles, à la recherche du numéro
73 ou d'une boîte aux lettres sur laquelle je pourrais lire mon
propre nom, j'étais gagnée par une sensation d'étonnement
semblable à celle que traduit le visage de certains voyageurs
dans les westerns. Ils viennent de descendre d'un train. Eux
non plus ne connaissent pas la terre qu'ils foulent, et une
remarque qu'ils ont formulée un peu plus tôt laisse entendre
qu'ils suivent la trace de quelqu'un ou d'une histoire oubliée
dont les pistes sont confuses. Ils s'immobilisent, désorientés,
l'air vulnérable. Pourquoi sont-ils venus ? Ne devraient-ils
pas renoncer ?

Presque au bout de l'avenue, un camion de déménagement
était garé et deux hommes corpulents déchargeaient un

piano. Un énorme chien avec un collier à pointes se mit à aboyer furieusement, les pattes contre la grille de la villa où les déménageurs venaient livrer le piano. Ils le posèrent, se consultèrent en hésitant et dirent quelques mots au chauffeur, qui mit la tête à la fenêtre de la cabine et agita la main. À ce moment-là, un enfant blond d'une huitaine d'années sortit en courant de la villa et se mit à crier après le chien et à le tirer vers l'intérieur. C'était mon frère Esteban. Je m'arrêtai et descendis de voiture.

Plus je m'approchais, plus le chien me paraissait grand et ses crocs pointus. C'était impressionnant de voir un enfant aussi gringalet l'attraper par le collier et essayer de lui imposer sa volonté.

— Lion, du calme ! Lion, au pied ! criait-il. Maman, viens, on apporte le piano.

— Tu parles d'un lion ! dit un des hommes. Ah, les gens ont de curieuses façons de pratiquer la dissuasion ! Eh, mon garçon, tu devrais l'attacher !

— Mais il n'est pas méchant. C'est juste pour faire peur. Maman ! ! ! Une fois qu'il vous a reconnus, il ne bronche plus. N'est-ce pas, Lion ?

— Encore heureux, renchérit l'autre. Bon, alors dis-lui que je m'appelle Juan. À moins qu'il ne veuille voir notre carte d'identité ?

— Transport Martínez, S. A., il va trouver cela plus sérieux, ajouta le chauffeur dans sa cabine, avec un accent madrilène très marqué. Allez-y, les gars, cette fois je crois qu'on l'a impressionné !

En effet, les aboiements s'espacèrent et les deux hommes reprirent le piano en riant. Il était en bois sombre, pas très grand. Je me dissimulai à demi derrière le camion.

Montse, blue-jeans et chemisette décolletée, venait d'apparaître sous le porche. Après avoir branché l'éclairage extérieur (des lampes surgirent du gazon), elle entraîna le chien pour l'attacher à un anneau derrière la maison. Puis elle revint et prit la direction des événements : pour porter le piano à travers le jardin, sur un ton autoritaire elle pria les transporteurs de faire attention, leur indiquant les inégalités du terrain, les fils électriques, les monticules et les marches contre lesquels ils pouvaient trébucher. Elle-même, qui les suivait, perdit l'équilibre à mi-chemin et tomba dans une plate-bande.

Un nouveau personnage apparut sous le porche, ce n'était pas papa, mais une femme qui avait à peu près l'âge de Montse, sans doute une amie. Elle avait les cheveux coupés à la garçonne et une minijupe.

— Tu t'es fait mal ? demanda-t-elle d'une voix aiguë.

Mais Montse s'était remise debout et secouait son pantalon.

— Maudits fils électriques ! lança-t-elle de mauvaise humeur. Enfin, rien de grave. Dis à Gregoria d'ouvrir les portes de derrière, nous allons rentrer le piano par la cuisine.

— Je viens aussi ! dit Esteban. Attends-moi, tante Loli !

Il s'élança vers le porche et disparut à l'intérieur de la maison, derrière la fille en minijupe. C'était une villa sur deux niveaux assez prétentieuse et tape-à-l'œil. Pour le moment, elle marquait la limite du lotissement. Au-delà, il n'y avait plus qu'une ébauche de rue et un terrain vague. Je sortis de ma cachette, contournai la grille et me mis à l'affût. J'ai toujours aimé guetter et changer l'angle d'observation. Il était peu probable que Montse me voie, tant elle était absorbée par sa mission, mais il y avait quand même un risque. Je m'accroupis légèrement.

Le jardin était très grand, beaucoup plus grand que celui des autres maisons, et sa décoration était un peu dans le genre « on regarde mais on ne touche pas », elle avait dû être conçue sous la houlette d'un architecte d'extérieur fasciné par les pages de *House and Garden*. J'imaginai Montse pointant le doigt sur une de ces pages satinées (« Je veux un coin comme celui-ci, tout pareil ! »), et se disputant ensuite avec papa pour le devis. Il y avait deux ou trois statues plutôt horribles, des bancs en fer forgé et une balancelle. Dans une grotte artificielle en pierre, qui venait un peu comme un cheveu sur la soupe, une sorte de coquille crachait des filets d'eau dans une piscine en forme de haricot. Absolument aucun rapport avec l'étang d'eau verdâtre que j'avais vu dans mon rêve, et nulle part je ne voyais le trou noir qui vomissait des cochonneries, pourtant je le cherchai avec obstination, presque avec inquiétude, comme lorsqu'un argument fondamental vous échappe des mains ou de la mémoire. « Je crois que cela aurait donné un sens à ma visite, pensai-je, je sais pourquoi je suis venue : chercher le trou noir et l'explorer. »

J'observai toute la scène à travers les barreaux de la grille, sans que personne ne remarque ma présence. Le cortège contourna la maison et l'éclairage du jardin s'éteignit. Je compris qu'ils ne ressortiraient pas de sitôt, j'avançai, dépassai l'angle et, profitant de ce que la porte était restée ouverte, j'entrai subrepticement dans la propriété. Un coup d'œil derrière moi. Le chauffeur n'était plus dans la cabine. J'essayai de ne trébucher sur aucun fil et je m'assis dans la balancelle, qui avait des coussins très moelleux. Une première étoile clignotait dans le ciel blafard, je poussai un profond soupir et je commençai de me balancer. Quel plaisir ! personne ne se doutait que j'étais là. « Je me suis introduite dans un conte », pensai-je. Je me sentais fatiguée, mais libre et détachée de tout comme lorsqu'on dépose par terre un lourd bagage après l'avoir porté sur le dos pendant des heures. Depuis combien d'heures étais-je réveillée ? Dans le même temps, je fis les comptes et notai que mes paupières tombaient. Don Luis

Vidal y Villalba, en blouse blanche de dentiste, s'effilochait dans des nuages lointains, il voulut me dire quelque chose mais sa voix ne sortait pas, enfin il se transforma en spirale de fumée.

Je fus ramenée à la réalité par l'intuition d'une présence soulignée par les aboiements qui cessèrent aussitôt et le ronflement d'un moteur qui démarrait. J'ouvris les yeux. Esteban m'observait, planté devant moi. Il faisait nuit et le camion de déménagement s'éloignait. Je me redressai. J'étais presque couchée sur les coussins et j'avais des fourmillements dans une de mes jambes, qui avait pris une mauvaise position. Je la frictionnai.

— Pourquoi t'es-tu endormie dans la balançoire ? demanda Esteban. Elle n'est pas à toi. Cette maison n'est pas à toi. Qui es-tu ?

— Je suis ta sœur.

— Menteuse. Tu es très vieille. Et tu n'es pas blonde. Sur la photo, elle est blonde.

— Les cheveux foncent avec l'âge.

Il resta pensif.

— On peut aussi les peindre. Maman les peint. Elle se met des mèches.

— Pas moi.

Je me baissai pour ramasser une chaussure qui avait glissé. On entendait des voix énervées à l'intérieur de la villa. Aucune n'était celle de papa.

— Tu es folle, dit Esteban. Et menteuse par-dessus le marché.

— Guêpe folle / qui s'envole, / guêpe qui ment / tombe dedans, / demoiselle /qui descend / à tire-d'aile !

Je me levai et me mis à agiter les bras comme si j'allais m'envoler. La comptine m'était venue d'un trait sur le rythme de la corde à sauter. Quand je faisais de l'« entrerock », j'inventais toujours les paroles de cette façon, presque à mon insu, j'avais plus de mal pour la musique. Esteban était ahuri. Il ne réagit pas tout de suite.

— Qu'est-ce que c'est que cette chanson ?

— Elle vient de sortir de ma tête.

— Pour de vrai ?

— Pas pour de vrai, puisque je suis une menteuse. C'était bien ce qu'on disait ?

Il me sourit pour la première fois.

— Alors, inventes-en une autre. Sur les montres.

— Sur les montres ? Sur les montres je ne trouve rien. Montre ne peut rimer qu'avec contre. Quelle heure est-il, madame Persil ? J'ai perdu ma montre, cachée dans le contre, mon cœur accélère, aïe petit frère, j'arrive trop tard pour la relève et je pars avec le rêve... fin de la visite.

— Ouah ! Tu débites tout ça d'une traite, bravo ! On devrait faire un vers à deux, la moitié chacun ! Tu ne vas pas partir, hein ?

— Je crois que si, parce que je suis fatiguée. Je suis venue de Londres jusqu'à Las Rozas, et maintenant on veut me mettre en prison. Ton père n'est pas à la maison, par hasard ?

Il commença à tourner en rond à cloche-pied et à me tirer la langue.

— Tu veux que je te protège des flics ?

— Exactement, comme tu es intelligent !

— Alors il n'est pas là, mais il y a maman et tante Loli.

— Elles ne me sont d'aucune utilité. Je ne crois pas qu'elles voudront être mêlées à des histoires de flics, qu'en penses-tu ?

Dans la villa, on continuait d'entendre les échos d'une dispute. Les lumières de l'étage venaient de s'allumer.

— Je ne crois pas non plus, dit Esteban. Maman est très en colère. C'est que, tu sais, on a apporté le piano.

— Ah oui. J'étais dans le camion avec les déménageurs, voilà pourquoi je le sais, c'est moi qui conduisais.

110

— Mensonge ! Le chauffeur était un gros.

— Et alors ? On ne va quand même pas me mettre en prison, on avait dit que j'étais une menteuse, non ?

Il haussa les épaules, renfrogné.

— Réponds : oui ou non ?

— Oh, comme tu es embêtante ! Oui ! Mais je réponds parce que je le veux bien, figure-toi, pas parce que tu me l'ordonnes. Pourquoi ris-tu ?

— Quand j'étais petite, je disais exactement la même chose. Allons, je ne mentirai plus, ne fais pas cette tête de bouder. Pourquoi ta mère est-elle en colère ? Parce que je suis venue ?

— Mais non ! Elle ne t'a même pas vue. Parce qu'ils ont un peu éraflé le piano en le rentrant et parce que papa n'arrive pas. Elle veut qu'il soit très content du piano.

— C'est toi qui vas en jouer ?

— Pas question, moi je veux être batteur. Elle en jouait quand elle était petite et pour la Noël, dans le village des grands-parents, des chants de Noël, des tangos et la *Lettre à Élise*. Ils l'avaient laissé là-bas, parce qu'il ne tenait pas dans l'autre maison, elle était plus petite que celle-ci, mais moi je la préférais parce qu'il y avait Manolito et Lauri.

Dans la villa le ton et l'agressivité des deux voix féminines étaient montés.

— Mêle-toi de ce qui te regarde, compris ?

C'était Montse qu'on entendait nettement crier.

— Alors ne m'appelle plus ! Tu crois que c'est une partie de plaisir de venir ici ! J'en ai marre de toi, je te le jure, dit l'autre. Je m'en vais.

— Mais elle ne s'en va pas, expliqua Esteban en se tournant vers la maison. C'est toujours pareil. C'est à cause du piano, elles ne savent pas très bien où le mettre. Et aussi parce que tante Loli dit qu'on va bien voir si maman aura maintenant la patience de s'y remettre tous les jours, et d'apprendre des choses plus modernes, tante Loli est très moderne, elle rigole et ça rend maman nerveuse. Moi aussi, je la rends un peu nerveuse, tout la rend un peu nerveuse. Et depuis qu'elle maigrit, tu sais, Gregoria ne fait plus de gâteaux, pour ne pas lui donner envie. Dis donc, tu n'aurais pas un bonbon ?

— Un bonbon, non, mais un chewing-gum, peut-être. Attends. Je vais voir.

— Un chewing-gum, je veux bien aussi.

Il s'approcha de moi, regardant dans mon sac pendant que je fouillais. Je lui donnai un chewing-gum, qui était collé à la fermeture d'un collier cassé, Tomás dit que mes sacs ressemblent à la mallette d'un prestidigitateur.

— Tiens, à la fraise.

Il le sortit de son papier d'argent et le mit dans sa bouche.

— C'est tout ? demanda-t-il en mâchant. Tu ne m'as pas apporté d'autre cadeau ? Tu parles d'une sœur !

Au lieu de répondre, je renversai le contenu du sac sur les coussins de la balancelle. Il y avait une petite calculatrice que je n'avais jamais utilisée. Elle était dorée, en forme de poudrier. Le genre d'achat stupide que l'on fait dans les grands magasins un soir de dépression. Je la lui montrai et il la regarda attentivement.

— Qu'en penses-tu ?

— Pas mal, j'en ai une, mais pas aussi chouette. Tu me la donnes ?

— D'accord.

Je le regardai l'ouvrir, appuyer sur les petites touches et la manier finalement avec beaucoup d'aisance. Puis, lassé, il la glissa dans sa poche et se mit à tourner autour de moi en me regardant remettre mes affaires dans mon sac.

— Ce que je préfère, dit-il, c'est quand tu composes des vers.

À ce moment-là, on entendit une voix puissante au fond du jardin.

— Esteban ! Où es-tu fourré ? Viens dîner !

— C'est Gregoria, dit-il. Je vais dire à maman que tu es là, d'accord ?

Et il s'élança en courant vers la maison. J'attendis qu'il ait disparu sous le porche et je m'esquivai discrètement en rasant les murs en direction de ma voiture. Je ne comprenais pas pourquoi j'avais tellement envie de pleurer.

Au retour, à force de me perdre dans l'obscurité des rues, des carrefours sans panneau de signalisation et des zones désertes, le poids de la mélancolie devenait plus léger, mais bientôt s'abattit sur moi celui de la répétition, comme une condamnation, je recommençai à tourner en rond, toujours pareil, perdue, me demandant pourquoi j'allais ici ou là, prenant des indécisions, quel cauchemar ! Quand me réveillerais-je ? « Quand la ville sera un murmure de cendres mijotant tout en bas et que seront nettoyés tous les ruisseaux. » Qui avait dit cela en moi ? Je ne me rappelais pas s'il s'agissait d'un fragment de poème connu, mais cela me plaisait, je mis le clignotant et je m'arrêtai pour noter la phrase sur un agenda que je sortis de la mallette de prestidigitateur, dans une rubrique que j'intitule « EXCROISSANCES ». Mais il faisait noir dehors, aucun passant, juste quelques bâtiments isolés. Je pris peur. « C'est toujours comme ça à la fin des cauchemars, c'est le signe que tu vas te réveiller », me dis-je pour me rassurer.

Aussi, lorsque je vis sur le trottoir d'en face une fille descendre de voiture et dire au revoir de la main à une personne qui était restée au volant et qui attendait qu'elle ait disparu sous le porche, je klaxonnai à plusieurs reprises et baissai la vitre.

— Hep ! s'il vous plaît ?

Le conducteur tourna la tête. S'il m'avait entendu, c'est que je transmettais mon propre cauchemar à un autre. Il me regarda comme s'il n'en croyait pas ses yeux, descendit de la voiture et traversa la chaussée.

— Que fais-tu ici ? demanda-t-il.

— Tu vois, je t'espionne.

Je lus sur son visage l'épuisement de celui qui cherche encore une explication après en avoir déjà donné beaucoup toute la journée. Sans compter celles qu'il devrait fournir quand il rentrerait chez lui. Il me fit de la peine.

— Allons, dit-il, c'est une fille qui travaille avec moi, ne va pas t'imaginer je ne sais quoi.

Il était évidemment gêné. J'éclatai de rire.

— Mais enfin, papa, pour l'amour de Dieu, je n'imagine rien du tout, tu crois que j'ai une tête de Sherlock Holmes ? Ne perds pas ton sens de l'humour. Et cours la rassurer, allons – ajoutai-je, les yeux fixés sur le trottoir opposé –, car elle nous regarde d'un sale œil. Si tu ne veux pas lui avouer que tu as une fille de mon calibre, dis-lui qu'il s'agit d'une automobiliste égarée. Les deux versions sont vraies.

— D'accord, je te remercie. Mais attends-moi.

Le ton soumis qu'il avait adopté et sa façon de marcher vers le porche où la fille semblait effectivement attendre quelque chose me parurent typiques d'un enfant en position délicate qui obéit aux conseils d'un adulte. Mes espoirs, déjà assez diffus, de trouver réconfort et appui auprès de ce monsieur, partirent en fumée. Mais je gardais un fond de tendresse pour son air de famille : sa voix était la même, ses épaules étaient droites comme d'habitude, même démarche, les lunettes plutôt sales, sa manie de serrer les dents, et j'étais toujours une sorte de cuirasse pour lui, depuis toute petite j'avais compris qu'il était plus faible que maman.

Je me penchai sur mes mains, et je crus y voir réapparaître un timon invisible. Je ravalai ma salive. Je ne voulais pas regarder le porche, pas savoir s'il mettait longtemps à se séparer de cette fille. Ni fumer. Je n'étais pas nerveuse, seulement très fatiguée, mais je n'avais pas l'intention de rajouter ma fatigue à la sienne. J'avais l'habitude.

Quand il revint, je l'accueillis avec un sourire, mais je ne lui proposai pas de s'asseoir à côté de moi. J'eus l'impression qu'il m'en était reconnaissant. Il s'appuya légèrement contre la portière.

— Enfin... Il y a des jours plus durs que d'autres, dit-il sans détour cette fois, comme un enfant surpris en flagrant délit de mensonge.

— C'est toi qui le dis, chef. Laisse-moi nettoyer tes lunettes, allons, cela peut t'aider à y voir plus clair.

Il les perdait souvent, mais il en avait deux paires de rechange, et toujours sales, il les tendait parfois à maman ou à moi, quand nous le regardions avec une expression particulière, « comment puis-je être une telle catastrophe ? » disait-il. Il me les tendit et se frotta les yeux. Il devait avoir le même souvenir. Celles qu'il portait maintenant n'avaient pas de monture. Mais elles étaient plus épaisses.

De part et d'autre de la portière, nous échangeâmes quelques informations limitées et fragmentaires sur nos situations respectives brouillées par la fatigue, d'où il ressortit clairement – problème qui semblait le préoccuper quelque peu – que je n'avais pas pu voir Montse. Puis il faillit se perdre dans des flots d'explications oiseuses, qui m'ennuyèrent passablement. Il était onze heures passées. Je lui conseillai d'économiser un peu d'énergie pour rentrer chez lui, car il en aurait besoin. Avec moi, il avait fait ce qu'il fallait.

— Ne gaspille pas ta salive pour rien, papa. Tu es attendu par un piano, une belle-sœur en minijupe et les nerfs de Montse. Regarde tes lunettes. Ça te va ?

Je les lui rendis et il les chaussa.

— Bon travail, merci.

— En ce cas, *ciao*. Je te demande seulement une faveur qui te fera perdre quelques minutes. Guide-moi avec ta voiture jusqu'à la route nationale. J'ai l'impression d'être perdue dans un village d'Indiens.

— C'est la moindre des choses. Mais dis-moi, ma fille, tu venais pour une raison précise ?

— Je ne crois pas. Ou alors pour te demander si tu aimes toujours résoudre les mots croisés difficiles.

Il posa sa main sur le bras nu que j'appuyais sur la fenêtre.

— Terminé. Pourquoi te tromperais-je. Tout ce qui est difficile me rend malade.

— Autrement dit, j'imagine que tu passes tes journées à avoir des vertiges.

— Plus ou moins. Et toi ?

— Ça dépend des heures, des bruits et de la couleur du ciel. Mais les mots croisés m'aident encore beaucoup. Surtout si je les invente.

— Je veux dire et toi, est-ce que tu vas bien ?

— Très bien, papa, rassure-toi. Nous en reparlerons... Au fait, juste une chose, de quoi est morte maman ?

Il parut très surpris.

— D'une rupture d'anévrisme. Tu ne le savais pas ?

— Si, mais c'est un mot tellement laid... Ça ne lui va pas. Mais à part ça...

— À part ça quoi ?

— Je veux dire est-ce qu'elle s'est effondrée soudainement et hop plus personne.

— Exactement, on n'a même pas eu le temps d'appeler une ambulance, d'après Rosario, qui était avec elle.

— Mais il doit bien exister un rapport médical quelque part. Il y a sûrement eu une autopsie.

— Pas que je sache, dit papa déconcerté. Qu'est-ce que tu as dans la tête ?

— Rien. Comme je n'étais pas à Madrid, j'imagine que tu t'en souviens, et je ne suis pas arrivée à temps pour la voir encore en vie...

116

— Bien sûr que je m'en souviens ! Mais je pensais que tu avais vu Rosario.

— Pas du tout, encore une chose à faire, entre autres, elle m'a laissé des messages... beaucoup de messages, mais j'ai la flemme d'aller la voir.

La pression de sa main sur mon avant-bras se fit plus intense.

— Uniquement la flemme ?

— La flemme ou autre chose. Laisse tomber.

J'avais parlé sur un ton coupant et intempestif. Soudain je me rappelai Ramiro, le plissement de mes lèvres reflété dans son regard ironique ; je passe ma vie sur la défensive sans savoir si je blesse les autres, et c'est moi-même que je blesse. Papa haussa les épaules et retira sa main.

— Tu fais les questions et les réponses, ma fille, murmura-t-il contrarié.

La petite lumière rouge se mit à clignoter : crispation en vue.

— Excuse-moi, papa, mais je suis incapable de composer ce numéro de téléphone. J'ai conscience que ce sont des délires, que je surmonterai un jour ou l'autre, mais comme j'ai refusé de voir son cadavre, ne pas appeler est une façon de nourrir l'espérance, tu comprends ? J'ai l'impression que je vais entendre sa voix, c'est la voix qui résiste le plus à la mort, en fin de compte il s'agit de l'âme.

— Pourtant, souviens-toi, la voix de maman te rendait parfois nerveuse.

— Eh oui, tu vois comme sont les choses ! Maintenant, je donnerais tout ce que j'ai et le reste pour l'entendre. Je me contenterais de cinq minutes, même pour recevoir un savon. Qu'elle ne me passait malheureusement jamais.

J'avais baissé la tête et le silence qui s'ensuivit ne me gêna pas. Mais je ne demandais pas non plus d'autre réponse que le silence. Je remarquai qu'il s'était de nouveau rapproché.

117

— Regarde-moi, dit-il de façon inattendue.

Je lui obéis et dans ce regard vinrent se dissoudre tous les arguments de l'après-midi.

— J'ai plus de chance que toi, dit-il avec le plus grand sérieux. J'entends toujours sa voix quand je t'entends. Et en te regardant je la vois.

J'ouvris la portière pour descendre de voiture et nous nous embrassâmes très fort. Il y a des gens qui ne dégagent aucune odeur, et d'autres que l'on reconnaît à leur odeur. Papa sentait comme d'habitude, mais son odeur était indéfinissable. Il commença par embrasser mes cheveux en tremblant légèrement. Il ne m'avait jamais embrassé ainsi. Il ne me lâchait pas. « Je suis prête pour l'épreuve d'une conversation avec le grand-père. En ce moment même, je suis elle », me dis-je. Et il y eut comme un triomphe dans cette prise de conscience. Je lui caressai la nuque et m'écartai doucement.

— Voyons, papa, si la voisine d'en face pointe le bout de son nez, elle va penser que cette histoire d'automobiliste égarée est à dormir debout.

— Je ne crois pas qu'elle soit du genre à pointer le bout de son nez, dit-il en souriant. D'ailleurs, ça m'est égal.

— On ne sait jamais... Allez, shérif, sors-moi du village indien !

— OK, étranger. Bonne chance. Arrivé à ces montagnes, tu trouveras un cheval de rechange.

La route nationale était toute proche. Il m'y précéda et me dit au revoir de la main, avant d'amorcer un demi-tour qui le ramènerait au village indien.

Moi, de mon côté, j'attendis le premier carrefour pour repartir dans l'autre sens. En allant vers El Escorial, quelques kilomètres seulement me séparaient de la maison de retraite du grand-père. C'était un autre secteur du village indien, peut-être le plus éloigné et le plus dangereux. J'étais

118

près des montagnes, mais je ne voyais pas de cheval de rechange. Quand j'arrivai, presque toutes les lumières étaient éteintes. J'allumai celles de la voiture, sans entrer complètement dans le jardin squelettique, et je fouillai dans la mallette du prestidigitateur. J'ai toujours sur moi un bloc et des enveloppes, à tout hasard. J'écrivis deux courtes lettres. La première en ces termes :

> *Cher ami,*
> *Plusieurs jours se sont écoulés depuis notre conversation. Il me semble que je suis prête, pour le jeu que vous m'avez proposé, que nous devrions plutôt appeler une expérimentation. À titre de prélude, puisque mon écriture (comme ma voix) ressemble aussi à celle de ma mère, pourriez-vous remettre au grand-père Basilio la lettre ci-jointe, si vous le jugez opportun. Je la glisse dans une enveloppe non cachetée pour que vous puissiez la lire et vous faire une opinion. J'attends votre appel. Affectueusement, A. S. L.*

> *Mon cher petit père* – disait le texte de l'autre –,
> *Excuse-moi d'avoir tant tardé à reprendre contact avec toi, mais je suis restée longtemps absente, dans un pays où la poste fonctionne mal. Tout va bien, mes tableaux prennent de la valeur dans les galeries de Soho, à Manhattan ; j'en ai vendu quatre. En outre je suis amoureuse, et tu sais que l'amour rend égoïste. Quoi qu'il en soit, je ne tarderai pas à passer te voir. Ta fille qui t'aime.*

Je sortis de la voiture sans bruit et traversai le jardin en regardant de tous côtés. Personne. La lune était pleine. Sur l'enveloppe, j'avais écrit « *Ramiro Núñez* ». Et rien sur l'enveloppe que je glissai à l'intérieur. Je gravis les marches sur la pointe des pieds et, dans une boîte peinte en vert fixée sur la droite, sous la Vierge du Perpétuel Secours, je glissai le double message. Les grillons chantaient.

« Provisoirement, je peux oublier cette affaire », pensai-je avec soulagement en reprenant la route nationale. J'arrivai chez moi épuisée.

XI

POINTES D'ICEBERG

Les voix du passé vous grimpent dans le dos à la manière d'un vent subit. Nous sommes comme une montagne dont le versant frontal, plus fertile mais plus vulnérable, est défendu par des fortifications et peuplé de jardins, maisons, promenades et magasins ; c'est là que l'on apprend ce qui est connu, et que l'on redoute ce qui est inconnu, alors la vie est régie par des lois qui vous cousent les uns aux autres ; personne ne se soucie de la partie arrière, plus difficile d'accès depuis la vallée – à en croire les cartes –, le soleil n'y donne presque jamais et la végétation est rare. Nous finissons par oublier qu'elle existe. C'est pourtant par ce flanc qu'attaquent par surprise les armées fantômes du passé, à peine perceptibles, tout juste un chatouillement. Elles n'ont jamais atteint la partie antérieure, elles ne peuvent pas me nuire – pensons-nous en remarquant les symptômes infimes –, elles ne méritent même pas qu'on leur accorde la moindre attention, elles s'en vont comme elles sont arrivées, par le même chemin. Mais nous nous protégeons le ventre et la poitrine avec les bras, nous fermons les yeux et tendons l'oreille, retenant notre respiration. Elles profitent souvent des moments d'insouciance qui précèdent le sommeil ou le

121

convoquent, une fois que nous avons débarrassé notre mansarde de vieilleries et de récipients vides ; je ne veux penser ni à ceci, ni à cela, ni à cela non plus, ce qui revient à appuyer sur des boutons et à débrancher des fiches pour que cessent de bourdonner toutes les machines. On perçoit alors une trépidation subtile sur l'épine dorsale. Ce n'est rien. Mais elle y est toujours. Que disent ces voix ? Longer la question, c'est céder au danger. Qui parle ? D'où vient le son ? D'une bouche tellement collée à notre peau, dirait-on, que le souffle entrecoupé étouffe les mots qu'il prononce. Cela arrive aussi de loin, et ce mélange du proche et du lointain met de la drogue dans le sang. Échos qui bouleversent et excitent, qu'en vain on essaie de chasser, parle-moi encore, j'entends mal, qui es-tu ? viens plus près.

— C'est moi, Rosario Tena. Tu es là ?... Bon, je vois que tu n'es pas là, ou que tu ne veux pas décrocher, ce qui revient au même. Tu te souviens de moi ? La professeur aux petites lunettes... Enfin, je ne veux pas être acide. Dans quelques jours, je pars à Santander, j'y resterai tout l'été, et peut-être pour toujours. Auparavant, j'ai besoin de te voir, c'est inouï de ne pas se voir. Appelle-moi, s'il te plaît, à n'importe quel prix. Moi, c'est la quatrième fois que je t'appelle. Un baiser. *Ciao*.

C'est le message que je trouvai ce soir-là sur le répondeur, en revenant du village indien. Je l'écoutai dans mon lit, les yeux fermés. J'appuyai sur la touche et tournai le dos à l'appareil. C'était récent, enregistré dans la machine depuis peu, peut-être pendant que je disais à papa que j'avais des comptes à régler avec cette personne, mais l'urgence du message, son actualité, la plainte et même le léger sarcasme – si compréhensibles ! – de la part d'une personne qui souffrait et avait envie de me voir, qui sûrement n'avait pas cessé de m'aimer, étaient cruellement évincés, désactivés, je verrais cela le lendemain.

En revanche, le passé et ses armées escaladaient la seule phrase qui m'injectait un trouble, « à n'importe quel prix ». En disant cela, Rosario avait pris la voix de maman, ce ton bien à elle, à mi-chemin entre le cynisme, la plaisanterie et l'impatience, qui lui permettait de se confronter à l'incompétence, à la lâcheté ou à la lenteur des réflexes, « s'il te plaît, à n'importe quel prix ! » Elle ne prenait jamais d'indécisions et ne traînait jamais pour mettre à exécution ce qui avait été décidé, et si on l'abusait elle vous regardait dans les yeux. Elle savait se tirer toute seule des bourbiers, et aussi se tromper toute seule. En ce cas, elle empruntait le chemin de consolation qui mène à la forêt touffue des métaphores, inutile de l'appeler, elle s'y était cachée.

« Je descendrai dans la forêt ce soir, murmurai-je à demi endormie, je veux te voir, le reste importe peu. Je dois te trouver dans la forêt, à n'importe quel prix. »

Je m'endormis aussitôt, mais la rencontre dut se produire tout près du matin. D'après les auteurs de traités sur le monde souterrain, on a beau jeter sa canne à pêche dans ses eaux agitées et profondes, ces délais ne peuvent être mesurés (« Oh Innana, ne cherche pas à percer les secrets du monde inférieur ! »), toutefois ils soupçonnent – et comment ! – qu'il suffit de quelques petites secondes du monde supérieur pour que tout arrive en bas, il y a la place pour préambule, intrigue et dénouement, sans oublier certaines données qui n'apparaissent pas sur scène, comme si nous étions habités par un romancier caché dont on ne voit jamais le visage, mais qui démarre au quart de tour dès que l'on ferme les yeux. Et qui nous laisse toujours sur la soif d'un nouveau chapitre.

J'allais voir maman. Quelqu'un avait dû me donner son adresse, je me demande qui, c'était une trame obscure, je sais seulement que j'arrivais de nuit, intimidée, les pieds en terrain glissant, et je regardais à la lueur d'un réverbère un papier semblable à celui que papa m'avait donné pour arriver au village indien, mais les mots étaient effacés, car la pluie les avait mouillés. Elle vivait incognito dans un refuge des bas-fonds, elle avait honte de ne pas être morte et redoutait les complications entraînées par sa situation, si on vendait la mèche. Elle était sans papiers, elle avait vieilli et partageait son sort avec un garçon genre Félix, qui la maltraitait et l'obligeait à travailler comme équilibriste dans un cirque. « Tu te rends compte, s'il nous arrive quelque chose, me dit-elle, nous n'avons même pas d'assurance-maladie. » La demeure était une sorte de palafitte sur une rivière sale, à laquelle on accédait par des planches rudimentaires en guise de passerelle. Elle avait pâli en me voyant, et elle me suppliait à deux mains de ne raconter à personne qu'elle vivait encore, je t'en supplie je te le demande, à n'importe quel prix, mais il n'y avait ni cynisme ni rire dans sa voix, seulement de la terreur. Ses épaules tremblaient et elle parlait tout bas en regardant Félix, qui était étendu par terre à plat ventre, sans doute ivre. Je sus que tout s'arrangerait si nous nous embrassions, elle et moi, mais j'étais incapable de m'approcher et de lui dire une phrase affectueuse, en dépit de mon désir.

Je me réveillai, cherchai mon agenda à tâtons pour noter mon rêve, et j'allais l'atteindre dans le sac posé sur la moquette (ce qui représentait déjà une prouesse du même ordre que d'embrasser maman), quand je réalisai qu'il y avait des gens dans la maison et que c'était justement ces bruits qui m'avaient réveillée. Quelqu'un s'arrêta devant la porte de ma chambre.

— Tomás, m'exclamai-je. Quel bonheur, te voilà revenu !

Mais ce n'était pas Tomás. Je m'en aperçus tout de suite. Il ne frappe jamais à la porte.

— Entre ! Ah c'est vous, Remedios. Bonjour. Mais pourquoi venez-vous aujourd'hui ?

— C'est mon jour, on est mardi !

C'était une grosse femme qui parlait avec un accent galicien, la belle-sœur de la concierge. Depuis un an et demi, elle montait deux fois par semaine faire le ménage dans l'appartement, et elle s'était mis dans l'idée de m'apprendre à cuisiner, obstination franchement méritoire compte tenu de mon manque d'intérêt.

— Mardi ? demandai-je en consultant discrètement mon agenda que j'avais tiré de la mallette de prestidigitateur en même temps qu'un stylo-bille.

— Oui, mademoiselle. Toute la journée. Que se passe-t-il ? Vous n'allez pas travailler aujourd'hui ? Il est plus de dix heures. Vous êtes malade ?

(Le rêve ! C'était urgent. Je devais déchiffrer le rêve. J'avais le sentiment d'être reflétée dans un miroir, mais à l'envers.)

— Oui, un peu. Évidemment, j'ai cru qu'hier c'était dimanche parce que je ne suis pas allée travailler, je ne me sentais pas bien... C'était hier ? Oui, oui, hier.

À côté de scènes du passé récent, se profilaient les dilemmes. Il fallait que j'appelle les Archives. Et puis il y avait le message de Rosario, pauvre Rosario, elle avait sans doute mal dormi. En fin de compte, qu'est-ce que j'avais contre elle ?

— Figurez-vous qu'une de vos amies a sonné ici hier après-midi et qu'on ne lui a pas ouvert. Vous n'étiez pas là ?

— Je devais dormir. Quelle amie ?

— Je ne sais pas. Elle a laissé cette enveloppe à ma belle-fille, qui m'a dit que c'était une femme très gentille, avec des cheveux blancs.

Je la pris. C'était une enveloppe jaune assez rebondie. À l'en-tête de Magda, ma collègue des archives. Elle se mêle de tout, si elle ne pouvait pas venir, elle en crèverait.

— Ah oui, c'est pour le travail. Je vais l'ouvrir, dis-je de mauvaise humeur.

— Bien. J'ai apporté des pamplemousses. Vous voulez que je vous en presse un ?

— Oui, avec grand plaisir.

— Je me demande comment vous pouvez aimer une chose aussi amère, alors qu'il y a une part de tarte de Compostelle... Mais enfin...

Elle s'éloigna et je posai l'enveloppe de Magda par terre. Je ne voulais pas être distraite par des arguments secondaires tant que je n'aurais pas noté mon rêve, il était trop bizarre pour le laisser échapper. Mais il avait déjà été un peu gagné par la lumière intempestive de ce mardi, et cette scène, un peu rognée sur les bords, était peu à peu envahie par les mauvaises herbes et les adhérences confuses. De toute façon, le gigolo qui ressemblait à Félix était toujours à plat ventre par terre, immobile. Quelqu'un, peut-être moi-même, braquait sa lampe sur lui, et disait : « Qu'on ne touche à rien ! » phrase qui n'apparaissait pas dans le rêve initial. Je me dis que j'avais vu trop de films dans ma vie. La cachette de ma mère (dont la silhouette s'estompait d'ailleurs de plus en plus) ressemblait en tout point à celle de Richard Widmark dans le film de Samuel Fuller *Le Port de la drogue*. Je notai tout cela dans la rubrique « EXCROISSANCES » de mon agenda. Un jour il faut que je développe ces résumés et que je les mette au propre, on y trouve des choses singulières. Mais cette idée à peine envisagée, je la chassai de mon esprit, je sus que je n'en ferais jamais rien. Et j'allai m'enfermer dans la salle de bains.

Une fois sous la douche, qui m'inspire toujours, je continuai à m'intéresser au circuit incessant qui relie le cinéma, les rêves, les normes de conduite et l'interprétation de la réalité. En disant « Rosario Tena », par exemple, presque plus personne ne pensait à la professeur qui nous avait donné des cours lors de ma dernière année d'études, en tant qu'auxiliaire d'histoire de l'art, cette fille guère plus âgée que moi, ni timide, ni pédante, fine, avec des petites lunettes. Devant les diapositives des tableaux qu'elle expliquait, elle s'exprimait avec passion et clarté, ses doigts effilés suivant les lignes d'un paysage ou d'un visage, comme si elle racontait des histoires à un enfant. Si elle avait disparu, en dépit de tels attributs – me dis-je tandis que l'eau glissait sur mon corps nu dont je voyais le reflet dans la paroi-miroir –, c'était la faute de Joseph Mankiewicz. Depuis que, quelques années plus tard (je vivais alors dans l'appartement aux murs bleus), ma mère l'avait recueillie dans la partie haute du duplex où elle avait son nouveau studio, Rosario avait fini par adopter l'air et les attitudes d'Ann Baxter, cette admiratrice prétendument ingénue mais perfide, qui finissait par supplanter Bette Davis dans un des films que j'ai le plus vus : *Ève*. En regardant mon corps nu, je pris un air interrogateur, allons, c'était aussi de la dynamite pure de réaliser ceci avec tant d'assurance à cet instant précis – qui fait coïncider les choses de cette façon ? – alors que nous ne savons rien de rien, que tout reste à découvrir, parfois apparaît une pointe d'iceberg et nous nous pavanons comme si le mérite nous en revenait. Mais oui, c'était la faute d'*Ève*, incroyable, non ? Tout ce que j'ignorais de l'amitié postérieure entre maman et Rosario, je l'inventais sans le vouloir sur le décalque d'un scénario de film servi par deux visages de femme en noir et blanc. Et en me rappelant la professeur aux petites lunettes, dont la voix dolente venait d'être enfermée dans le répondeur, je fus affolée par ma façon résolue et vicieuse de m'installer dans l'irréalité.

Dans le miroir, le visage éclaboussé de maman, surmontant mon corps nu, s'illumina d'une moue coquine qui dissipa mes remords. Elle secouait sa chevelure mouillée.

— Autrement dit, je suis Bette Davis. Regarde-moi bien, tu vois mes yeux saillants ?

Je m'approchai du miroir, en riant aussi. Nous étions identiques.

— Non. Franchement non. Tu es très jolie et très rajeunie. Quel bonheur que cette histoire de Félix ne soit qu'un rêve ! Tu ne vis pas avec lui, j'espère ?

— Je ne sais pas qui est Félix. Quand le délire te prend, on ne peut pas te laisser seule. Tu te rends compte, coller un crime à la pauvre Rosario ! Tu devrais lui accorder un minimum d'attention, car elle va très mal. En fin de compte, c'est toi qui l'as introduite chez moi. Tu disais qu'elle était merveilleuse. Tu as parfois de drôles d'idées...

Je m'approchai du miroir et posai mes lèvres sur mon image. La paix non signée dans le rêve.

— Quelle joie que tu me grondes et que tu sois tellement vivante, maman ! Tu reviens cette nuit, d'accord ? mais sans Félix. maintenant, il faut que je te laisse. Des problèmes domestiques, tu sais.

Remedios, la bonne, grommelait je ne sais quoi depuis un bon moment derrière la porte. Je fermai le robinet de la douche, dis adieu à mon image d'un geste de la main, enfilai la sortie de bain et sortis. J'étais résolue à être aimable avec tout le monde.

— Qu'y a-t-il, Remedios ? Vous disiez quelque chose ?

Elle était plantée au milieu de la chambre, l'air profondément étonné.

— Oui, bien sûr. Que s'est-il passé dans la cuisine ?

— Dans la cuisine ? Je ne sais pas. Il y a quelque chose de cassé ?

— De cassé, non. Mais on ne retrouve plus le presse-agrumes, le mixer, les couteaux, ni... bref, pas la peine de vous fatiguer, tous les accessoires en général ont disparu.

— Ah, bon ! Je croyais que c'était autre chose.

— Autre chose ? Mais c'est que la cuisine entière est autre chose, de haut en bas, personne ne la reconnaîtrait, madame, excusez-moi de vous le dire. Si vous voulez la laisser dans cet état, libre à vous, cela ne me regarde pas, mais alors, où va-t-on préparer les plats ? Et je ne parle même pas d'un pot-au-feu galicien dans les règles de l'art, mais d'une simple omelette.

Tandis que je l'accompagnais sur les lieux du conflit, j'essayais de lui expliquer qu'il s'agissait d'un changement provisoire, et pour donner plus de vraisemblance à mon assertion je commençais de dégager la table et de rapatrier livres et babioles vers leur lieu d'origine, lequel (comme il arrive toujours dans ce genre de déménagements) n'était pas exactement le même ; ainsi, en les déposant ailleurs, étaient-ils contaminés par le virus de la disparition.

Remedios, qui me suivait pas à pas sans cesser de parler, profita de mon activité, insolite à cette heure, pour me gratifier d'une série de conseils, de messages et de petits affronts qu'elle avait accumulés depuis plusieurs semaines.

Résultat, dès cet instant et jusqu'à ce que je quitte la maison plus d'une heure après, sans savoir très bien quelle direction prendre, mon attention fut sollicitée par les bribes de tous les problèmes en suspens... Au lieu de prendre une décision, j'harmonisais les suggestions et les reflets qu'elle émettait.

Il faisait de nouveau une chaleur épouvantable.

Vers midi, j'avais la tête prête à éclater et je m'installai à la terrasse du café de Bellas Artes, je commandai un café glacé et j'ouvris l'enveloppe jaune de Magda.

Je tombai d'abord sur une note écrite de sa main :

Ci-joint, disait-elle, *cette photocopie envoyée par mon amie Emma, la professeur de l'université de Barcelone dont je t'ai parlé, et qui te distraira, je l'espère, pendant que tu es clouée au lit. J'imagine que tu seras contente de savoir que Vidal y Villalba n'était pas italien, comme il essayait de le faire croire, mais fils d'humbles artisans de Barcelone. Et il y a beaucoup*

d'autres détails, tous assez savoureux, sur les mésaven-
tures de ton cher menteur. Je ne veux pas déflorer l'his-
toire. Le seul ennui, c'est que l'article est en catalan, et
je ne sais pas si cette langue est au nombre de celles
que tu maîtrises. De toute façon, au cas où tu aurais
besoin d'un dictionnaire de catalan, appelle-moi, j'en
ai un et cela ne me dérange pas de te l'apporter. Meil-
leure santé. Je t'embrasse, Magda.

Il y avait aussi une fiche manuscrite attachée à la photocopie par un trombone. La calligraphie était différente, plus
penchée. On pouvait lire :

> *Extrait du livre* Vuit segles de cultura catalana a
> Europa, *Ed. Biblioteca Selecta, Barcelone, 1958,*
> *pp. 159-166. Désolée d'avoir mis tout ce temps à te*
> *l'envoyer, mais j'ai un travail fou. J'espère qu'il sera*
> *utile à ton amie.*
> *Affectueusement, Emma.*

— Excusez-moi, me dit le garçon, qui venait d'apporter le
café glacé. Si vous n'écartez pas un peu ces papiers, vous
allez les salir. La table est toute petite.

— Oui, et elle est bancale, dis-je en essayant de dégager
un peu d'espace.

— Cela peut s'arranger.

Je mélangeai un peu le sac et les papiers, dont certains
tombèrent par terre. Je me baissai pour les ramasser, et mes
mains effleurèrent celles du garçon, qui s'était agenouillé
pour caler la base du guéridon avec la pochette d'une boîte
d'allumettes.

Je remontai à la surface, suffoquant et soufflant.

— Quand les choses se mettent de travers... grommelai-je.

— Allons, pas de panique, ne t'énerve pas, sourit le jeune
homme, qui voyait dans cette brève rencontre sous la table
un libre accès au tutoiement. Quatre cent pesetas, si tu veux

bien me payer tout de suite. Mais pas de panique, il n'y a pas le feu.

Je venais de lire le titre de l'article et je ne savais plus où donner de la tête.

— Je ne m'affole pas, dis-je en sortant mon porte-monnaie. Mais il y a des pointes d'iceberg vraiment partout.

Le garçon éclata de rire.

— Ce serait une bonne idée, avec cette chaleur ! Mais j'imagine qu'il s'agit d'une métaphore.

— Eh oui, mon cher, plutôt ! dis-je en souriant. Tu aimes les métaphores ?

— Heu, je les pratique à mes heures perdues. Elles aident à affronter la marée. Notre corporation est farcie de poètes, pour peu que tu regardes bien, tu t'en apercevras, dit-il en reprenant son plateau.

— Oh oui, je l'avais déjà remarqué.

Je lui laissai un bon pourboire. Mais on l'appela et je me replongeai avidement dans mes papiers. L'article photocopié s'intitulait : « Lluis Vidal, català extra-vagant », et il offrait un début très stimulant :

> *Extra-vagant, en el sentit etimològic del terme, i extravagant de tarannà, l'aventurer Lluis Vidal és l'exageració d'un tipus molt català...*

Je ne connaissais pas le mot « *tarannà* ». Je bus mon café glacé ; après une courte pause, je mis les papiers dans la mallette de prestidigitateur et me levai avec décision.

« En définitive, cette matinée si étrange commence à prendre tournure », me dis-je en traversant au feu du côté impair de la rue d'Alcalá, à hauteur de l'embranchement avec la Gran Vía. Autant remonter la Gran Vía, je n'étais pas pressée, quelle bonne idée d'avoir laissé la voiture chez moi, le thermomètre lumineux au-dessus de la bijouterie Grassy indiquait trente-six degrés. En été, c'était normal. Je marchais à l'ombre sur le trottoir, avec plaisir, regardant de temps en temps les balcons et le sommet des édifices. Comme elle était distinguée et moderne, cette avenue, quand Alphonse XIII l'avait inaugurée au début du siècle ! Et elle était bien décadente aujourd'hui, à l'abandon, envahie de guichets automatiques et de mendiants, splendeur en conserve et misère en branche. Mais ces réflexions, qui contribuaient à calmer le rythme de mes pas, ne me détourneraient pas du but qui les conduisait en haut de la Gran Vía. Ma destination était la librairie Espasa Calpe. J'avais besoin de toute urgence d'un dictionnaire de catalan. Toutes les autres pointes d'iceberg disparaissaient.

XII

LA STATUE VIVANTE

La ville se transforme parfois en boyaux qui se mettent à fonctionner de travers, et quand on arrive à certains carrefours, on est soudain pris d'une douleur inconnue, qui ressemble à un élancement dans le pancréas.

En sortant d'Espasa Calpe avec mon nouveau dictionnaire de catalan dans une pochette en plastique transparent, tout mon être était comme un ballon échappé des mains d'un enfant. Je savais seulement que je n'avais pas envie de rentrer chez moi et que je partais à la dérive, refusant tout projet de quelque nature qu'il soit, ne serait-ce que trouver un endroit où me poser pour manger, ou bien m'attaquer à cette traduction naguère si urgente. Je connais bien cette hâte dévorante de poser la première brique d'un édifice qui bien souvent ne sera pas construit avant longtemps ; autrement dit, il ne se passait rien d'inquiétant. Ma brique était dans son emballage, petite, rouge, et je me sentais bien, la ville ne me causait aucune souffrance, aucun élancement. Je me laissais porter par la foule à un rythme paresseux, concentrée avec une volonté acharnée sur le mot « *tarannà* », comme lorsqu'on entend sans cesse le refrain d'une chanson obsédante qui déloge et annule toute autre pensée. Avant d'acheter le dictionnaire, je l'avais ouvert à la lettre *T*, et j'avais lu que *tarannà* signifie « caractère », « façon d'être ». Autrement dit, Vidal y Villalba était extravagant par tarannà ; j'étais contente d'avoir appris ce mot nouveau, qui investissait les ramifications de mon cerveau en exterminant tout germe malin d'inquiétude, tarannà, il me ravissait et me tenait compagnie, comme un nouvel ami rencontré par hasard, sans importance ; certes, je ne sais pas grand-chose de mon propre tarannà, mais peu importe, restons sur la Gran Vía, attends, le feu est rouge, tarannà, tarannà, tarannà. Parfois, j'avais l'impression de dire taratata, taratata don Luis, parfois cela ne ressemblait à rien, juste à un roulement de tambour, et je défilais au rythme de ses accords, balançant la petite pochette avec le livre dont les pages contenaient ce terme allié, à l'origine de ma promenade ravie. Il en fut ainsi jusqu'à l'angle du métro de la place Santo Domingo.

C'est dans cette rue que je reçus le coup de poignard qui me fait encore mal quand j'y repense, deux ans et demi plus tard, même si j'essaie de l'oublier, cicatrice qui m'élance encore. « C'est que le temps va changer », dit-on dans des cas pareils. Pourtant, les gens ne pensent pas à la météo en prononçant ces mots, mais à l'autre temps, celui qui s'est écoulé depuis l'accident. Et ce que l'on revit quand on touche à la cicatrice, c'est l'accident proprement dit, les changements survenus après la date où il s'est produit.

Je l'aperçus de loin avant de traverser, juché sur une petite estrade, immobile, déguisé en diable. Les gens s'arrêtaient parfois pour le regarder, car il y a deux ans les mimes de rue n'étaient pas encore comme aujourd'hui intégrés dans le paysage urbain, c'étaient des exceptions isolées et frappantes. Autrement dit, ils attiraient l'attention, comme on prétend encore, quoique avec moins de succès, l'attirer aujourd'hui. Il avait le visage enduit de cirage et un petit casque orné de cornes, aussi noir que ses mains, ses pieds et sa courte cape. Mais le collant moulé au corps était rouge. Il brandissait un trident.

Je m'approchai, avec un mélange de curiosité et d'appréhension, et m'arrêtai à quelques pas de lui. Ma première pensée fut qu'il devait avoir très chaud, ainsi enveloppé dans son déguisement, avec les gantelets, l'inconvénient du maquillage et l'obligation de ne pas bouger un seul muscle. Bien sûr, il était à l'ombre, mais quand même. Puis je regardai s'il avait une queue, en effet, une queue fournie, de renard artificiel. Curieux ! Et des ailes. C'était la partie la plus jolie, ces ailes membraneuses collées à la petite cape, qui imitaient celles d'un insecte gigantesque, bien qu'inégales : la droite était à moitié cassée et tombante. Comme un fait exprès, peut-être un hommage à la chute de Lucifer après son expulsion du paradis. La position devait être inconfortable, cambrée, en équilibre plutôt instable.

Ensuite, je regardai son visage, et je me retrouvai aussi statufiée que lui-même. Car il avait beau être à demi dissimulé derrière la main qui ne tenait pas le trident, sans compter le maquillage noir qui pouvait brouiller les pistes, il ressemblait tellement à Roque qu'il n'aurait pu être personne d'autre. Le voyais-je vraiment, ou s'agissait-il d'une hallucination ? « Il invente des formules nouvelles, pour jouer encore à être un autre, m'avait dit Félix quelques jours plus tôt. Sa fantaisie est débridée. » Je le savais très bien, et c'est ce qui m'avait plu chez lui dès le premier jour, nous avions en commun une répugnance à être critiqués par quiconque et moins encore l'un par l'autre, nous nous moquions des couples qui essayaient de tout partager aux dépends de leur propre liberté, qui s'espionnaient mutuellement ou s'administraient des sermons. Plus tard – il faut tout dire –, je faiblis, atrocement rongée par la jalousie, cette aile-là fut brisée et je fus expulsée du paradis, ce sont des choses qui arrivent, qui sont arrivées, personne n'est responsable, autant ne pas y mettre le nez.

135

Je n'osais pas le regarder trop fixement. J'avais cru percevoir l'éclat statique des yeux révulsés, le rictus de la bouche et le bras à angle droit qui couvrait à moitié le nez aquilin. Était-ce lui ? Je n'en étais pas du tout sûre, et ce flou accentuait la « douleur d'angle », c'est ainsi que j'appelle depuis ce matin de juillet une portion de rue qui vous provoque des élancements.

Naturellement, je n'osais pas davantage lui poser la moindre question, vu qu'il était en fin de compte une statue, ou que son apparence le laissait croire. Pas seulement par honte, devant les gens qui s'arrêtaient pour le regarder comme moi, ou par la distance instaurée entre nos corps par son immobilité et ce regard perdu dans le vide, mais aussi – et c'était le pire – par le retour de manivelle du temps, la douleur était là, dans les années écoulées depuis la dernière dispute qui nous avait séparés définitivement, dans le ressentiment d'une vieille blessure. J'étais honteuse de me rappeler cette scène banale et impardonnable que j'avais déclenchée et qui était vouée au désastre total, une tentative mal venue de fouiller dans les braises d'un feu éteint, crise grossière d'amour-propre et de solitude, mauvais mélange, et si j'étais la première à m'en douter avant d'arriver chez lui, l'entendre par sa bouche m'avait mise hors de moi : « indigne de toi, *honey* », disait-il en souriant, et j'avais cassé un vase, comme dans les films.

Je n'avais jamais mis les pieds dans cette chambre, c'est lui qui venait dans la mansarde tapissée en bleu, où parfois il séjournait, moi j'étalais ma répulsion à me mêler de la vie d'autrui, je n'avais jamais voulu mettre les pieds dans son appartement, il le partageait avec un frère plus jeune, qui surgit, un peu effrayé, en entendant le bruit de verre cassé, mais lui, il ne regardait même pas les morceaux par terre, il en écarta un du pied avec un air contrarié, « indigne de toi, *honey* », et il sourit.

136

Je cherchai timidement son sourire à peine esquissé derrière ce gantelet noir, il était assez ressemblant, ou peut-être pas, la Joconde s'interpose toujours quand je tente ce genre d'évaluations, le tableau que Rosario Tena décrivait le plus minutieusement dans ses cours, quand elle était la fille aux petites lunettes qui me plaisait tant ; Roque avait un rictus moqueur qui gardait sûrement des traces de ce sourire immortel, mais il m'envoyait au diable quand il m'entendait énoncer cette hypothèse, vers un de ces diables qui finalement l'avaient possédé et planté à un carrefour de la Gran Vía, il ne supportait pas la Joconde, il trouvait Marcel Duchamp génial de l'avoir affublée de moustaches, « cette prof dont tu parles doit être un peu rétro, non ? Quelle barbe, cette Joconde ! — Ah, tu ne vas pas la ramener non plus avec ton Marcel Duchamp ! — touché », reconnut-il. Et nous éclatâmes de rire.

— Il a l'air vrai, dit une dame en noir à côté de moi.

— Que tu es bête, maman, bien sûr qu'il est vrai ! dit la jeune fille qui l'accompagnait.

— Tu crois ? Rien ne les arrête. Mais il ne transpire pas.

— Il vient de battre des paupières. Il est vrai, je te dis.

— Ne soyez pas si affirmative, coupai-je. Certaines poupées clignent des yeux.

Et je compris que j'avais dit cela pour que Roque, si c'était Roque, entende ma voix. « C'est ce que tu as de plus caractéristique, me dit-il un jour, je la reconnaîtrais entre mille, même après des années. » Mais il ne broncha pas. Pas même en entendant le son de la pièce que cette fille jetait dans la soucoupe avant de repartir au bras de sa mère.

— Tu n'aurais pas dû lui donner, disait cette dernière.

— Pourquoi ? C'est un artiste.

— Ah, il est beau, l'artiste ! Surtout, ne pas travailler comme tout le monde...

D'autres passants jetaient aussi des pièces dans la soucoupe, et il restait impassible, le regard dans le vide, le bras figé en l'air. Il me sembla que j'étais là depuis trop long-temps, dans l'attente d'un miracle qui n'allait pas se produire, c'était clair, mais je ne partais pas, sans doute gagnée par sa condition de statue, et ma propre peur commençait de paralyser mes membres, je n'étais pas davantage capable de crier au secours, mais de toute façon j'étais persuadée que l'on finirait par s'en apercevoir. Ce fut comme si mon être entier perdait toutes ses forces, j'avais besoin d'entendre la sirène d'une ambulance, pourquoi ne me portait-on pas secours ? je perdais mon sang en pleine rue. Et rien ne changeait, le diable ne bougeait pas, moi non plus, nous étions entourés de gens distraits, indifférents, qui semaient à la volée des commentaires sans intérêt, comme s'ils circulaient entre les sculptures de pierre d'un cimetière.

Peut-être n'était-ce pas Roque. J'avais baissé les yeux et ses chevilles me parurent un peu plus épaisses, peut-être avaient-elles gonflé, à force de rester si longtemps debout, je n'osais plus regarder son visage. Et si c'était lui ? En ce cas, ce serait horrible. Si c'est lui, s'il ne me reconnaît pas et ne me regarde pas – pensai-je –, j'aurai rêvé également que j'avais eu une mère, que j'avais appris le russe, étudié l'histoire de l'art et composé des chansons d'entrerock, que j'aime le jus de pamplemousse, que j'ai pleuré de nombreuses nuits en cachette de tout le monde ; comme si une éponge imbibée de vinaigre effaçait sur le tableau noir de mon passé toute trace de craie, toute allusion au développement de certains épisodes et à leur rattachement à d'autres, comme si l'espérance se transformait en fumée, la désillusion en mensonge, comme si on avait un chiffre erroné à la place de l'audace, de cette envie de jouer à n'importe quoi, de parier encore et toujours sur l'inconnu, comme si était aboli tout l'amour du risque que Roque avait engendré, comme si étaient devenus mensonges mon corps et le sien, ma parole et la sienne. Et mensonge aussi la mort.

Nous étions maintenant seuls face à face. L'heure des adieux avait sonné. Mon cœur battait la chamade, comme la première fois que je l'avais vu appuyé à une extrémité du comptoir du Feu Follet, seul avec une écharpe claire, et j'avais compris immédiatement qu'il était à moi, une partie de ma vie. Ce soir-là non plus il ne m'avait pas regardée, je dus attendre de longues semaines. Il mit encore plus long-temps à m'avouer qu'il m'avait parfaitement remarquée, qu'il attendait avec anxiété ma venue et qu'il m'observait en cachette, comme moi. Mais peut-être était-ce aussi un mensonge.

J'osai lever les yeux et je cherchai ses oreilles que j'avais si souvent embrassées, petites, effrontées, sans pareilles, mais elles étaient cachées sous le petit casque de diable.

Je me rapprochai du mur contre lequel je m'appuyai, défaillante, non loin de son corps. Ma tête était à la hauteur de son coude, à cause de l'estrade. Ses vêtements ne sen-taient rien. Je regardai son profil.

— Roque, parvins-je à articuler, ni trop haut ni trop bas. Adieu, bonne chance. Et je regrette d'avoir cassé le vase ce jour-là.

Il ne broncha pas. Alors, je sortis l'agenda de mon sac, arrachai une feuille et notai mon numéro de téléphone. Puis, sans plus le regarder, je me baissai et glissai le papier sous une pièce de cinq cent pesetas, dans la soucoupe concave posée sur le piédestal. J'avais envie de m'agenouiller et de lui baiser les pieds comme à un Christ, mais on aurait dit les pieds d'un autre, sa chaussure en pointe ornée d'un dessin de flammes orange et fluorescentes les déformait beaucoup. Tout cela était un peu trivial. Peut-être n'était-ce pas Roque. D'ailleurs, c'était sans importance.

Je m'en allai sans me retourner. « Le secret du bonheur réside dans le fait de ne pas insister », me disais-je en des-cendant la Gran Vía ; je crois que c'est une citation de Gregorio Martínez Sierra, un auteur qui, semble-t-il, plaisait à mon grand-père, ma mère avait découvert que les œuvres de ce monsieur étaient écrites par sa femme, María, mais elle ne voulait pas en parler au grand-père pour ne pas le contrarier, autre pointe d'iceberg, la visite au grand-père était toujours en projet, je pouvais entrer en lui disant cela, « Le secret du bonheur réside dans le fait de ne pas insister », et ce serait maman qui le regarderait pendant que je prononcerais ces mots, car je n'ai pas lu Martínez Sierra, on verrait ce qui se passerait, bonne idée, mais en attendant il valait mieux ne pas penser au grand-père, ni à Ramiro, il y avait trop de choses. « Bonheur, secret, bonheur », répétais-je en pressant le pas, essayant de ne pas zigzaguer et de maîtriser en même temps le rythme de ma respiration. Je finis par comprendre que le mot bonheur était un poids mort. Je l'enveloppai dans un vieux journal et le jetai dans la première poubelle rencontrée, qui sentait mauvais et avait des traces de sang. En revanche, je conservai le secret. « Ce sera la dernière chose que je jetterai aux ordures, me promis-je entre les dents, je l'emporterai avec moi dans la tombe, question de caractère, tarannà. »

Je commençais à me sentir mieux. La ville se recomposait peu à peu et le bruit de mes talons avait un son plus ferme, à mesure que je m'éloignais de ce carrefour où la morsure du désarroi m'avait sauté au cou ; les secrets passés et futurs filaient leur quenouille harmonieusement autour du mot tarannà, et ma promenade retrouvait sa gratuité, son absence de dessein, tarannà, tarannà, un laisser-aller absolu, terreau de présent pour un champ fané.

Quand je voulus redescendre sur terre, j'étais assise sur un banc de la place d'Espagne, regardant les statues de don Quichotte et de Sancho. Je n'aime pas cette façon de mettre le chevalier devant, soldat aguerri, lance en arrêt, et de reléguer le miséreux derrière. Je me suis toujours imaginé qu'ils marchaient côte à côte pour qu'ils puissent s'entendre, sinon quelle compagnie auraient-ils eue ! Et l'essentiel est dans ce qu'ils disent, dans les mots qui sont restés pour toujours ; mais peu importe que ces statues, qui ne commémorent plus rien, soient prises en photo par un touriste japonais. Sancho hausse les épaules.

On aura beau dire, nu je suis né et nu je me retrouve ; je ne perds ni ne gagne ; et même si on m'a mis dans les livres et qu'ainsi je sillonne le monde de main en main, je m'en moque comme d'une guigne, et on peut bien dire de moi ce qu'on voudra.

Il faut dire que les statues me font toujours beaucoup de peine. Elles sont tellement immobiles.

En revanche, mon corps émergeait de sa torpeur et les souvenirs bourdonnaient en essaim, comme s'ils voulaient tous sortir en même temps par une ouverture trop étroite. Ils s'agitaient et m'agitaient intérieurement, j'en sentais les trépidations. C'était revivre, renfiler les rêves enterrés. Et le tableau noir du passé se couvrait une nouvelle fois de signes à la craie.

Les nuits où je rêvais de lui, je me levais très tard pour ne pas quitter l'endroit où s'était produite la rencontre. C'était sporadique, entre mes treize et mes dix-huit ans, à vue de nez. Un rêve qui persista bien après que j'eus commencé de prendre la pilule, que j'oubliais d'une fois sur l'autre, et qui, lorsqu'il revenait, avait la couleur d'un événement connu. Je notais généralement la date au réveil, car à cet âge-là je notais presque tout. Les dates étaient de plus en plus espacées, liées entre elles par un épisode bizarre. « De nouveau il est venu », notais-je, « Il existe encore », ou bien « Il n'était pas réapparu depuis un an. » Ensuite, une initiale d'alphabet russe entourée de petits traits à la manière d'un soleil, car je savais le russe ; l'initiale variait d'une fois sur l'autre, mais j'adorais la dessiner et la colorier, il me semblait que l'étude du russe me servait surtout pour mes secrets, par exemple celui-ci, incubé au fond des tunnels d'ombre qui me conduisaient à la lumière où m'attendait un ami sans nom. Je lui en inventais chaque fois un nouveau.

Un des rares entêtements durables de papa concernant mon éducation fut de me faire apprendre dès mon plus jeune âge cette langue qu'il ne connaissait pas, et qu'une dame de ses amies, récemment revenue de Moscou où elle s'était exilée avec d'autres enfants de la guerre civile, m'enseigna pendant des années. Elle s'appelait Mila et vivait près de la rue Antón Martín, dans un appartement misérable, d'ailleurs pas très loin de la mansarde tapissée en bleu que je louai plus tard et que j'habitai jusqu'à ma rencontre avec Tomás. Elle était patiente, mélancolique, aimable et naturellement très bonne enseignante. Mais je n'avais vraiment pas le courage de monter trois fois par semaine cinq étages d'escaliers raides pour m'enfermer dans cet appartement mal aéré, plein de portraits et de fleurs en papier, qui donnait sur une cour sombre. Outre que le russe est très difficile, il ne faut pas se leurrer. Au cours de ces matinées ennuyeuses, je compris pour la première fois ce que signifie hériter de quelque chose. Mon père avait transféré sur moi son désir inassouvi d'apprendre une langue qu'il croyait mythique, et j'héritai, que je le veuille ou non, de l'hommage à une guerre qui n'était pas la mienne, sous la forme d'une pénitence que je finis par accepter. Plus tard, cependant, cette pénitence (la seule à vrai dire infligée par mon père) se transforma en bénédiction du ciel, car une licenciée en histoire de l'art a de sérieuses difficultés à gagner sa vie, et en musique je n'ai jamais dépassé le niveau de l'amateur. En revanche, il y a peu de bons traducteurs du russe, et ils sont bien payés. Grâce à cela, je pus partir de chez moi.

Mais avant de franchir un tel pas, dessiner des initiales russes entourées de rayons de soleil pour désigner le héros nocturne de mes rêves d'adolescente me semblait être un salaire suffisant. Le plus drôle, c'est qu'après tant d'années écoulées, tant d'histoires qui auraient pu enterrer les images floues de ce leitmotiv, cet épisode ressurgissait encore de temps en temps, telle une présence fantomatique, avec l'intensité d'un événement souvent vécu, une sensation semblable à celle qu'éprouve, dit-on, un aveugle quand il tente de se remémorer les couleurs. Je ne sais si l'apparence physique de cet homme était la même d'une fois sur l'autre, je crois plutôt que je l'identifiais grâce à ce que j'éprouvais avant de le voir et de recevoir les premières ondes de sa vibration protectrice, la sensation qu'il n'était pas très loin. Naturellement je remarquais qu'il n'était pas habillé comme les autres, je n'étais pas non plus très sûre que les autres avaient remarqué sa présence. Par ailleurs, l'argument de ces rêves était assez élémentaire. Nous nous retrouvions dans des endroits clos, avec d'autres gens, chacun riait, dansait ou cherchait quelqu'un, un peu perdu. Je reconnaissais des amis, des vrais, en chair et en os, et je m'entretenais avec eux plus qu'avec lui. Il y avait en général des caves et des couloirs, et la trame variait peu. D'autres fois, nous remontions à la surface et je savais que c'était Paris, un froid de chien, des réverbères, je n'étais jamais allée à Paris, mais je reconnus la ville par ses rues et ses ambiances profondes, chargées de fumée. Moi, si je ne sentais pas cet homme tout proche, j'avais peur, même entourée d'amis, même si l'un d'eux m'enlaçait. Mais quand je l'apercevais au fond du local, ou simplement quand je réalisais qu'il était entré, qu'il était là, ma peur s'évaporait, et je le cherchais du regard pour le lui dire. Si nous sortions dans la rue, il sortait aussi. En me réveillant, je ne savais jamais si nous avions eu une conversation mémorable, mais je me rappelais la promesse de ne pas nous perdre de vue, de nous revoir un jour. Il ne s'agissait pas de rêves érotiques. Il ne m'embrassait jamais.

— Qu'est-ce qui t'arrive ? me demandait parfois maman, quand elle entrait dans ma chambre et me trouvait la tête sous les draps.

— Rien. Laisse-moi tranquille.

— Mais tu es malade ? Tu as quelque chose ?

— S'il te plaît, laisse-moi.

— Je venais te rappeler qu'aujourd'hui...

— Ne me rappelle rien ! Baisse les persiennes, s'il te plaît.

Puis, pendant la journée, je jouais à l'appeler en imagination par téléphone, presque toujours dans des hôtels où je ne savais pas comment le demander, puisque je ne connaissais pas son nom, c'est pourquoi je raccrochais dès qu'un réceptionniste qui était souvent Mischa Auer me disait « allô ? » ; d'autres fois, si je m'arrêtais devant une vitrine, je fermais les yeux très fort, sûre qu'en les rouvrant je verrais son reflet derrière moi. Mais il ne vint jamais.

Le temps passa, et j'appris assez vite ce que doit faire une fille pour ne pas tomber enceinte, je commençai mes études avec des hauts et des bas, j'aimais plaire (tendance qui s'est nuancée), je m'en tenais aux recettes à la mode pour profiter de notre jeunesse, et je savais que presque toutes les personnes de mon âge – rhizophytes ou pas – avaient des problèmes analogues, mais nous aimions en raconter d'autres, nous déguiser en ce que nous n'étions pas encore ou ne serions jamais, et on ne pouvait résister à ce bal masqué qu'en buvant, en étalant notre insolence et notre méfiance à l'égard de l'amour pour toujours du cinéma. J'avais beaucoup de succès auprès des garçons, je le savais. Jusqu'au soir où, au Feu Follet, que je fréquentais assidûment avec des rhizophytes des deux sexes, je vis, appuyé au bout du comptoir, ce garçon dégingandé à l'écharpe claire, je n'avais jamais envisagé de rattacher l'inconnu récidiviste de mes rêves,

144

désigné sur le papier par diverses initiales russes, à un quelconque être de chair et d'os.

Je ne le reconnus pas immédiatement, et ne demandai à personne comment il s'appelait, pour le calquer le plus longtemps possible sur l'apparition souterraine qui, par ailleurs, me refusait ses faveurs depuis des années. Quand enfin Roque (la première personne à soulever les croûtes du passé pour puiser en moi la pulpe d'un présent sans remords) se mit à me regarder et à se laisser regarder, je savourai la certitude que c'était lui, l'homme du rêve, et, bien des années plus tard, la lumière qui subsiste de ma liaison avec Roque, c'est surtout cette première étape de complicité silencieuse, les préparatifs du voyage. Car ensuite, quand arriva ce qui devait irrémédiablement arriver, cette cave idéale où je déposais verbalement mes incertitudes et mes rêves se transforma exclusivement – je dois le reconnaître – en spasmes insupportables et aveugles de mon corps esclave des caprices du sien.

Il était environ cinq heures et demie lorsque je quittai le banc de la place d'Espagne. L'espace d'un instant, je fus tentée d'aller voir un film d'art et d'essai pour me changer les idées, mais le malaise intérieur qui persistait ne s'apaiserait pas au cinéma, il exigeait peut-être un autre genre de distraction, et je la trouvai dans le dictionnaire de catalan. Je le sortis de sa petite pochette et, sans attendre, face aux statues de don Quichotte et de Sancho Panza, je pris connaissance des mésaventures de don Luis en terre de Martinique, et j'appris le nom d'une de ses maîtresses, Carlota Picolet, qui aurait très bien pu être la femme du portrait qu'il conservait dans ce coffret quand il avait été arrêté, un nom digne d'un roman, comme toutes ses intrigues jusqu'à sa mort dans une prison du rocher de Gibraltar, en plein délire, le tout concentré, car l'article ne comportait que six pages. Mais il m'était d'une grande utilité. Une sorte de canevas sur lequel broder mes notes éparpillées. Je me levai, avec l'idée d'aller voir Magda pour la remercier et discuter avec elle de l'orientation à donner à mes recherches, grâce à ces renseignements ; ce serait en outre une façon de me réintégrer dans le travail et de reprendre pied, « parce que pour toi comme pour moi, don Alonso, dis-je en regardant en direction de la statue de don Quichotte, une fois que nous avons enfourché le *Cheviligneux* *, personne ne peut nous en faire descendre, et don Luis était de ce bois-là ».

J'entrai dans un snack-bar de la Gran Vía pour manger un hot-dog avec une bière et je fus soudain furieuse d'avoir laissé mon numéro de téléphone à Roque ; je suis vraiment incorrigible, capable de n'importe quoi, comme si ma vie n'était déjà pas assez compliquée. Et puis Roque ne mérite pas que je lui tende la moindre perche, on efface tout, assez idéalisé. Aussi retournai-je vers l'angle où j'avais vu le diable, plus que jamais résolue à régler cette question et à en extirper le fiel. Si le papier était toujours dans la soucoupe, c'est qu'il ne s'agissait pas de Roque, car il se serait penché pour le ramasser en me voyant m'éclipser, c'est le moins que l'on pouvait espérer, mais si le petit papier avait disparu, je pensais l'interpeller et le lui réclamer, s'il le fallait, je monterais sur mes grands chevaux.

De toute façon, la seule évidence était qu'à cause de ce petit papier mon sang s'était remis à bouillir : je retournai dans les labyrinthes dangereux de l'obsession, je montai donc la côte d'un pas lent, indécis, désirant à la fois me désintéresser de cette affaire et continuer d'en explorer les énigmes. Je m'arrêtais parfois. En effet, trois heures s'étaient écoulées, et qui peut t'assurer – me reprochait ma partie sensée – que le diable est toujours au même coin de rue ?

---

* Allusion à un épisode de *Don Quichotte de la Manche*, où don Quichotte et Sancho Panza, juchés sur un cheval de bois – nommé Cheviligneux – et les yeux bandés, croient s'envoler dans les airs. *(N. d. T.)*

Mais il était toujours là. Le petit papier aussi. Je le déterrai sous les pièces, avec des gestes saccadés et brutaux, soufflant de colère. Puis je me redressai et je fus bien obligée de regarder la statue vivante. Cette fois elle souriait un peu plus. C'était Roque, aucun doute là-dessus.

— Tu es un dégoûtant ! lui lançai-je. De plus, je me demande si tu m'as jamais protégée ou consolée. Tu n'étais pas le garçon de mon rêve !

Puis je partis en courant et hélai un taxi.

XIII

Le jour et la nuit

— Tout est tellement absurde ! dis-je à Magda.

Elle me lança un regard d'incompréhension.

Quand j'étais arrivée, elle rangeait son bureau, et les gestes précis et feutrés qui laissent transparaître, quoi qu'elle fasse, son propre tarannà, subirent une altération sensible. Elle a cinquante ans et occupe ce poste depuis plus de vingt ans, je ne l'ai jamais entendue pester contre ce travail, et si l'envie lui en prenait elle pourrait me mener une vie impossible, en définitive c'est ma supérieure hiérarchique. Mais en réalité c'est le contraire, c'est moi qui la remets à sa place quand elle devient pénible. Par ailleurs, je n'ai aucun scrupule à profiter outrageusement de ce mélange d'admiration et d'instinct maternel qui la pousse à excuser toutes mes fautes.

Cette après-midi, quand nos regards se croisèrent, j'eus le sentiment d'être un misérable vermisseau. Sept heures s'étaient à peine écoulées (ce calcul aggravait mon cas) depuis que Remedios m'avait remis l'enveloppe jaune qui était à l'origine de ma récente équipée urbaine, et je me rappelai avec amertume ma réaction d'ingratitude et de dédain quand j'avais appris la visite manquée de Magda, qui n'avait

149

pourtant pas l'air de vouloir me payer de la même monnaie. Quand je la regardais, je sentais poindre cette partie pourrie de mon être dont l'odeur nous dénonce et nous incommode, alors qu'une rafale d'air pur vient de soulever intempestivement les pans qui la recouvraient. Oui, tout était absurde, autant les fluctuations de ma conduite que mes tentatives de justification ou d'explication. Déjà, dans le taxi, en donnant l'adresse des Archives, la respiration hachée, je m'étais étonnée de la véhémence de ma décision. Étant donné l'absence de Tomás, où diriger mes pas ? En cet instant, miraculeusement délivrée des griffes du diable, je ne pouvais imaginer de lieu mieux capitonné contre les menaces extérieures et contre ma propre névrose que ce bureau ; j'avais besoin de voir les papiers en ordre et l'expression placide de leur dépositaire pour que mon esprit se calme aussi et que chacune des scènes qui s'agitaient en moi retourne dans son tiroir, ne serait-ce qu'un moment. Ainsi voyais-je littéralement ma radiographie intérieure, sorte d'espace bondé de tiroirs en désordre pleins à craquer, qui crachaient leur contenu sur le sol dans un tourbillon horrible.

Heureusement, j'étais arrivée à temps. Il était six heures et elle est toujours la dernière à s'en aller. Le taxi avait eu de la chance avec les feux.

— Qu'est-ce qui est absurde ? demanda Magda qui, de toute évidence, n'en revenait pas de me voir. Il t'est arrivé quelque chose ? Mais assieds-toi, voyons, tu as mauvaise mine.

Un sourire soudain illumina son visage. J'avais laissé sur ma table l'enveloppe jaune reçue ce matin-là, à côté du dictionnaire de catalan, et elle profita du sujet pour changer provisoirement de conversation et se raccrocher à un élément connu.

— Comment va don Luis ? demanda-t-elle. L'article que m'a envoyé Emma t'a-t-il servi à quelque chose ?

— Oui, c'est une véritable mine. Je venais justement te remercier, tu réponds toujours présent quand on te demande un service. Il ouvre de nombreuses pistes sur son séjour en Amérique du Sud et à Londres, puis sur sa folie finale, c'est impressionnant, aller de prison en prison pendant dix-sept ans sans que personne ne sache très bien pourquoi il avait été arrêté, tu te rends compte ? À la fin, il avait complètement perdu la tête, il se prétendait prince, et il ne voulait pas en démordre : il était le fils de la reine du Paradis céleste, la manie des grandeurs lui avait tourné la tête. Il est mort en 1803 sur le rocher de Gibraltar. Une bien triste histoire. Et hors de toute logique.

Magda me regarda avec inquiétude, comme si elle attendait quelque chose.

— Je suis ravie qu'il t'ait servi. Espérons que cela t'encouragera enfin à passer à la rédaction.

— Je ne sais pas, dis-je, je ne crois pas.

— Pourquoi donc !

— Je ne sais pas ce qui m'arrive, Magda, je suis de plus en plus perdue. Je connais des chercheurs qui se concentrent sur leur sujet, qui vont droit au but, sans détours, qui sont capable de le séparer du reste. Moi, je ne peux pas. Pour moi tout est but.

— Du reste ? À quoi penses-tu ?

— Je ne sais pas, en général je pense un peu à tout, à la façon dont se mêle dans ma tête ce qui m'arrive à tout moment avec ce qui m'est arrivé autrefois, avec d'autres histoires de vivants et de morts, de revenants, avec des scènes de films, tout est en vrac, pêle-mêle, alors je me dis : à quoi bon séparer les choses les unes des autres ? Quant à cette enquête, parfois elle me passionne et je veux la poursuivre, tu le sais très bien, et parfois je ne la supporte plus, don Luis est une tumeur nichée là-dedans, je dois cesser de penser à lui, tu comprends ? parce qu'il gigote frénétiquement dans

151

mes intestins et j'ai comme l'impression qu'il me déchire les boyaux. Mais pardonne-moi, je t'ennuie avec mes histoires, Magda, je suis très égoïste, tu devrais déjà être partie.

Elle secoua la tête. J'avais débité ma dernière tirade en marchant dans la pièce de long en large, comme si je débitais un monologue intérieur, et je m'étais soudain immobilisée devant elle. Je la voyais soucieuse, en proie à cette sorte de désarroi qui effraie surtout les gens habitués depuis toujours à voyager avec une boussole. Elle avait renoncé à ranger ses dossiers et d'un geste elle m'invita à m'asseoir. J'obéis, la tête basse. Il y eut un silence.

— Mais alors, dit-elle comme si elle voulait reprendre le fil des choses, tu n'étais pas malade ?

— Eh non, tu vois, rien à voir. Je n'avais pas la grippe, et hier soir quand tu es passée à la maison j'étais dehors. D'ailleurs, je me demande bien pourquoi, parce que rien de ce que je fais ne me réussit, je perds les pédales. Par-dessus le marché, j'accuse les autres de ma propre lâcheté, c'est leur faute si je me casse le nez dans des impasses, dans des embrouilles où je me retrouve seule pour fuir mes responsabilités ; résultat, chaque jour qui passe voit s'accumuler les problèmes en suspens. Alors, cette après-midi je me suis dit : je vais raconter à Magda que je lui ai débité un gros mensonge et lui demander pardon. Parce que tu sais, je ne sais pas si c'est à cause de don Luis, mais ces derniers temps je mens beaucoup, presque sans m'en rendre compte, parfois pour des bêtises, ce qui est pire. Je me demande quand j'ai commencé à mentir. Toute petite, je ne mentais jamais.

Même un odorat peu exercé pouvait sentir que l'on empruntait subrepticement les chemins qui débouchent généralement sur le divan du psychiatre. Je réalisai avec stupéfaction que c'était la première fois de ma vie que je faisais des confidences à Magda, en dépit du danger que cela impliquait, car elle était elle-même très portée sur les confidences

152

et très friande d'en recevoir. Le plus étonnant, c'est que cela ne me déplaisait pas, cela me soulageait plutôt, qui l'aurait cru ? Je remarquai qu'elle rougissait légèrement, comme lorsqu'on reçoit un cadeau inattendu et que l'on se demande si l'on doit le prendre ou repousser ce qui pourrait être un mirage.

Elle avait vécu pendant des années avec sa mère, veuve, qui était décédée peu après mon arrivée aux Archives, et par la suite mon deuil lui révéla des points communs entre nous deux : elle se complaisait à les cultiver en m'assommant de questions et d'attentions qui me hérissaient, auxquelles je finis par fermer la porte par des phrases acides. Elle s'était donc habituée à ce que je ne lui raconte rien de ma vie, et à me considérer comme un être d'une autre galaxie, isolé dans un réduit inexpugnable. Nos émetteurs – disait-elle – transmettaient sur des ondes différentes. Le ton de ce commentaire ne laissait transparaître aucun ressentiment, mais plutôt de la fascination.

Je cherchai comment opérer un rapprochement pour effacer la perplexité de son visage, et j'eus recours à une de nos complicités linguistiques de bureau qui en d'autres occasions l'amusaient. Par la même occasion, je lui demandais un service, signe de confiance.

— Dis donc, je sais que cela ne te plaît pas, mais figure-toi que je suis e. m. d. t., cela m'arrive quand je parle trop.

Elle rit, en effet, et sortit un cendrier de son tiroir. E. m. d. t. étaient les initiales de « en manque de tabac ». J'allumai la cigarette avec un véritable ravissement. Les yeux de Magda suivaient les volutes de fumée comme la trace d'un hiéroglyphe.

— Je ne sais que te dire, reprit-elle après quelques instants de réflexion. Tu sais que je suis plutôt primaire et avec toi, sans le vouloir, je finis par gaffer. De toute façon, l'âme humaine n'a pas fini de nous surprendre, je t'ai toujours

153

considérée comme une femme sûre d'elle, parmi les plus sûres de toutes celles que je connais, celle qui sait le mieux ce qu'elle veut et pourquoi elle fait telle chose plutôt que telle autre.

— Et tu vois... dis-je en haussant les épaules.

Je fus gagnée par une bouffée de mélancolie rétrospective, en me rappelant le nombre de personnes qui avaient retenu cette image de moi. À part ma mère. Elle savait très bien que cette image était fausse, les plagiés sont les premiers à découvrir qui les copie. J'avais bien vu qu'elle le pensait, mais jamais elle ne le déclara franchement, jamais elle ne me dit : « Dans le fond, tu ne sais pas ce que tu veux ! » et son mutisme m'exaspérait, mais tout bien réfléchi le mien l'exaspérait peut-être aussi. Je lui écrivis plusieurs lettres avant de quitter la maison, et même après, des lettres que j'avais soudain envie de relire. Les avait-elle détruites ? Elle n'aimait guère conserver les vieux papiers. Quoi qu'il en soit, Rosario savait peut-être où elle rangeait ses souvenirs intimes, elle devait bien avoir un tiroir secret dans cet appartement neuf que je n'avais pu supporter plus de quatre mois, aussi privé de vieux objets que dépourvu de recoins et de cachettes, aseptisé et lumineux, avec un atelier immense. J'avais besoin de voir Rosario. Tout bien réfléchi, c'est vrai que j'écris beaucoup de lettres et que je ne les envoie jamais. Elles vivent pendant un temps en moi, je rumine le texte et je parviens même à oublier que je ne les ai pas envoyées pour ajouter ensuite une réponse contre laquelle je me vaccine par avance. Peut-être que j'avais égaré au fond d'un tiroir ou déchiré certaines de celles que je rêvais de retrouver.

— Sans doute es-tu nerveuse aussi ? aventura Magda avec précaution. Il y a des jours comme ça. Cela m'arrive aussi, tu sais. Même si tu me vois toujours d'humeur égale, souvent le soir chez moi les larmes débordent. Je sais qu'il n'y a pas deux cas semblables, mais perdre sa mère est toujours une épreuve terrible, elles vous ont porté neuf mois dans leur corps, et tu auras beau dire, on ne peut effacer cela d'un trait de plume. Puis elles s'en vont et vous laissent, mutilé, c'est alors qu'on commence à vieillir. Enfin, je te suis reconnaissante d'être venue, c'est une preuve de confiance. Je n'ai pas beaucoup d'amies. Toi tu dois en avoir des quantités.

— Ne crois pas cela.

Elle but un verre d'eau minérale, comme si elle venait de fournir un gros effort. Elle redoutait peut-être une réaction inconsidérée de ma part, comme d'autres fois, quand elle tentait de comparer sa situation d'orpheline avec la mienne. Mais rien ne se produisit. Cette après-midi, sa voix avait sur moi l'effet d'un baume, et je voulais lui faciliter les choses pour qu'elle me pose d'autres questions. Je pensais encore à ces lettres rescapées de la censure que j'avais peut-être envoyées à maman, au cours de mon adolescence orageuse, auxquelles elle n'avait jamais répondu par les démonstrations d'amour inconditionnel que j'espérais. Mais elle n'était pas la seule responsable. En outre, il n'y a pas de fautes, il n'y a que des causes.

— Parfois je pense, dis-je comme si je réfléchissais à haute voix, que l'on ment parce que l'on est incapable de supplier les autres de vous accepter tel que vous êtes. Quand on refuse d'avouer le désarroi de sa vie, on se déguise en autre chose, on trouve le truc pour inventer et on passe à la chimère pure, on n'arrête pas de se brinquebaler avec un masque sur le nez, en s'éloignant du chemin au bout duquel on aurait pu découvrir qui on est. C'est ce qui arrivait à don Luis, tu sais, je m'en rends de plus en plus compte, soif d'estime, par exemple, mais tu peux appeler cela comme tu veux.

— Laisse tomber don Luis ! dit Magda. Je crois que tu ferais beaucoup mieux d'écrire des vers, tu dis de drôles de choses, je n'arrive pas à te suivre, mais elles me laissent toute tremblante, comme la poésie, qui en soi ne se comprend qu'à moitié. Moi, maintenant, le soir je lis saint Jean de la Croix, « un je-ne-sais-quoi qu'ils vont balbutiant », ça c'est grand. Il est vrai, et tu le sais, que par ailleurs je suis religieuse, je te l'ai raconté, quand j'étais jeune j'ai eu la vocation de nonne.

— Moi aussi je suis religieuse à ma manière. Par exemple, je ne vais pas à la messe, mais je crois à l'au-delà.

— Oui... dit-elle pensive.

Il y eut un drôle de silence. La conversation menaçait de s'enliser. Mais de façon inattendue Magda la remit sur ses rails. Elle s'accouda au bureau qui nous séparait et pencha son corps vers le mien. Sur son visage rond, on lisait une curiosité intense.

— Excuse-moi, dit-elle, je sais que tu n'aimes pas qu'on se mêle de ta vie, tu n'es pas obligée de me répondre, mais... tu mens aussi à ton mari ?

— Oui, parfois. Et c'est impardonnable, quand j'y pense cela me fait enrager, car c'est le type le plus correct et le plus chouette que j'aie jamais rencontré, je me demande comment il peut me supporter, parole ! Quand je l'ai connu, j'étais dans le trente-sixième dessous, bonne pour la benne à ordures, comme je te le dis, et tu n'imagines pas comme il m'a redressée, mais ni de façon paternaliste ni à la manière d'un mâle sauvage, les choses sont venues le plus naturellement du monde, peu à peu. Avec lui c'est comme ça, maintenant si tu me dis « comment il a fait ? »... là, ma vieille, je ne saurais pas te répondre, tout vient de la nature de nos rapports, il m'accepte comme je suis, mais il ne ferme pas les yeux sur tout, il parle de ce qu'il croit pouvoir arranger, il est parfois têtu, mais d'une patience ! Et avec moi il a du mérite, tu sais, parce que je ne suis pas facile. Tu sais ce qu'il m'a dit quand il m'a rencontrée ? C'est incroyable.

— Qu'est-ce qu'il t'a dit ?

— Tu sais, je ne le connaissais pas du tout, même pas de vue, il faisait nuit, je me suis aperçue qu'il était à côté de moi dans un bar du quartier de Huertas, et en un clin d'œil je lui ai balancé des histoires à dormir debout, du moins je suppose, car lorsque je bois je perds tout contrôle ; mais je ne l'avais même pas regardé, comme homme je veux dire, j'avais juste remarqué qu'il ne partait pas et qu'il ne me laissait pas parler toute seule, comme les amis qui s'éclipsaient en changeant d'établissement, le coup classique, bien sûr, moi aussi j'en fais autant, si on entrait dans le jeu de tous les ivrognes qui se collent à vous comme des arapèdes pour vous raconter leur grandeur et leurs misères, on se retrouverait à l'asile. Bref, pour ne pas te lasser, nous avons fini la soirée dans son appartement, tard dans la nuit, moi j'étais imbibée jusqu'aux os, le genre de moment où tu ne veux surtout pas rentrer chez toi, parce que tu ne te supportes même pas toi-même ; je pensais vaguement à changer de logement, un petit copain m'avait plaquée, ma vie entière était sens dessus dessous, j'avais des dettes, par orgueil je ne voulais rien réclamer à ma mère, le naufrage absolu... et voilà, je suis tombée là comme j'aurais pu tomber ailleurs, un samedi, tu sais comment finissent les samedis soir...

— Non, je ne sais pas. Je ne sors jamais le soir.

— D'accord, maintenant moi non plus, Madrid est devenu d'un ennui... Mais je te parle d'il y a une huitaine d'années. Mon Dieu, est-ce possible ? C'est effrayant comme le temps passe, huit ans !... Oui, tout juste, parce que mon frère Esteban venait de naître.

— Allons, reprends ce que tu racontais, m'interrompit Magda.

Elle avait enlevé ses lentilles, qu'elle portait sur mes conseils, mais elle ne parvenait pas à s'y habituer. Elle les rangea dans leur petite boîte et chaussa ses lunettes. Je me souvins, avant de poursuivre, que cette histoire de ma rencontre avec Tomás s'achevait par le genre de phrase qui vous arrache des larmes si vous l'entendez au cinéma, et je réalisai que je l'avais entendu dire par un homme en chair et en os « qui existe encore, me dis-je, qui m'aime encore, et dont je n'ai aucune preuve qu'il ait une liaison dans la province de Jaén. » En regardant les yeux bleus de Magda, si attentifs et solidaires derrière ses lunettes, la statue du diable s'effritait comme un délire de sable, tout comme cette obstination à mettre en avant les choses compliquées, obscures et corrosives, communes à beaucoup d'amitiés antérieures à l'apparition de Tomás. Que de littérature sur les ténèbres ! Et souvent si mauvaise, pacotille à l'état pur. Tomás, qui déteste les ténèbres, m'avait sortie à la lumière, parce qu'il dégage de la lumière. Mais nous considérons la lumière comme normale, nous la laissons glisser sans lui prêter l'attention qu'elle mérite, elle n'a qu'à rouler, avant d'être avalée par la bouche d'égout. J'étais émue parce que je venais de faire une découverte étonnante : Tomás ressemblait au garçon de mes rêves d'adolescente plus qu'aucun autre. J'avais été aveugle. C'était lui.

— Que t'arrive-t-il ? demanda Magda. Tu ne veux pas me raconter ce qui s'est passé après ? Tu me laisses au milieu du film.

Je poussai un long soupir. Si, si, bien sûr que je voulais. D'abord pour l'entendre moi-même.

— Il ne s'est rien passé, j'avais envie de vomir, il m'a préparé un café et m'a déchaussée, en m'observant plus qu'en me parlant, « repose-toi », me disait-il. Je n'avais pas non plus l'impression qu'il voulait profiter de la situation, tu comprends ? Ça, on s'en aperçoit vite, pas besoin d'être un génie. Cela m'intriguait, mais je m'en moquais, je ne pensais qu'à une chose, m'installer confortablement pour voir si ma tête cessait de tourner et de m'élancer, car il n'était pas question d'ouvrir les yeux. Bref, pour résumer, je me suis endormie sur le canapé sans même avaler le café et au matin un cauchemar m'a réveillée en sursaut, les miens sont horribles, le genre où l'on tombe, on tombe et on n'en finit pas de tomber ; et je ne savais pas comment appeler ce garçon, parce que je ne me souvenais pas de son nom, ni même s'il me l'avait dit. Je le vis tout près, de dos, dessinant sur une planche inclinée, parce qu'il est architecte, maintenant il a transporté cette table dans un autre atelier. La lumière était très douce, glauque, alors je me suis levée et je l'ai enlacé en tremblant de peur. Apparemment il avait passé une nuit blanche à retravailler un plan, il aime profiter des insomnies pour travailler. « Enfin, voyons, de quoi as-tu peur ? » me demandait-il tendrement, mais sans laisser ses mains s'égarer. J'ai compris que j'étais terrorisée à l'idée de partir de là. « De rentrer chez moi, lui ai-je dit, voilà de quoi j'ai peur, et aussi du jour, de la lumière d'un jour nouveau. — Ah bon ? Moi au contraire la lumière me réconforte, je désire toujours voir le soleil se lever. » Il ne m'a pas demandé si c'était parce que j'étais maltraitée, ni avec qui je vivais, ni rien. Il a seulement dit : « Tu n'as qu'à rester, si tu ne veux pas partir. Rester ne t'engage à rien. — Oui ? Pour de vrai ? — Bien sûr que oui. — Mais rester jusqu'à quand ? » Il a haussé les épaules : « À toi de voir, au moins jusqu'à ce que tu te sentes mieux. » J'ai jeté un coup d'œil à la ronde avec une certaine méfiance. Cela ne ressemblait pas à un appartement de célibataire, tout était parfaitement ordonné. « Tu ne vis avec personne ? Tu as l'air d'être marié. — Eh non », s'est-il contenté de répondre. « Alors tu ne dois pas sortir beaucoup le soir. — Ma foi, ça dépend, tu ressembles à un interviewer. Allons, dors un peu. Tu veux une aspirine ? »

Et je l'ai dévisagé pour la première fois : il m'a paru très agréable, radicalement opposé, ça oui, aux hommes auxquels je colle d'ordinaire l'étiquette d'« ensorceleurs » ; il sautait aux yeux que nous étions comme le jour et la nuit, et cependant il me rassurait et m'offrait un toit. C'était tellement évident que cela éveillait ma méfiance. Aucun film ne montre une telle chose, à moins qu'on ne sache par avance que le type est un sadique, mais ceux qui jouent ce rôle sont généralement plus beaux, spectaculaires en diable, ou avec un regard sombre. Ou alors, un curé qui sauve les âmes perdues, mais ce n'était pas le cas. Il n'aime pas en parler quand je le lui rappelle, mais je lui ai demandé s'il était homosexuel, car j'étais prise d'un accès de curiosité terrible, comprends-le, j'avais besoin de me construire un rôle, même si je n'avais aucune envie de coucher avec lui à ce moment-là. Mais il m'a répondu d'un ton sec : « Ça, on le tirera au clair si tu restes jusqu'à demain, d'accord ? Maintenant, j'ai ce plan à terminer. »

Et lorsque, totalement désorientée, j'ai murmuré : « Je ne te comprends pas », il m'a ramenée sur le canapé, a remonté la couverture jusqu'au menton et a souri : « Moi, les gens que je ne comprends pas, dit-il, ce sont ceux qui me ressemblent. Bonne nuit. »

XIV

Graines volantes

Pour rendre visite à un souvenir, il convient – selon une croyance assez répandue – de l'avoir préalablement cultivé. Il y a des gens qui consacrent beaucoup de temps et de soin à cette culture, comme d'autres astiquent les lettres dorées de la pierre tombale qui recouvre leurs morts, pensant que s'ils ne s'y appliquent pas de façon continue et méthodique, leurs morts n'auront plus de nom. Je ne sais pas, ce sont des façons de voir, des comptes qui ne se règlent pas de la même façon chez tout le monde. Au moins, dans les récits d'horreur, l'apparition terrifiante ou l'écho d'un nom hante-t-il presque toujours ceux qui ont renié ces ombres et fui un passé qui leur remet le grappin dessus de façon intempestive. Certains se méfient de la littérature, bien sûr, mais je crois que c'est une erreur.

Les gens qui, pour plagier Édith Piaf, se vantent d'avoir allumé le feu de la survivance avec leurs souvenirs et de les considérer comme d'inoffensives flammèches, finissent toujours par se brûler réellement, et plus souvent qu'à leur tour, pyromanes balourds et adeptes maladroits cette culture de la mémoire, qui se rebelle contre qui veut, comme moi, l'exercer clandestinement en recourant à des techniques bâclées.

161

Peu importe. Le temps, semblable en cela à la pluie, tombe implacablement sur tous les jardins, et toujours vient le moment où quelque chose pousse. N'avons-nous jamais vu, sur la façade d'une église soustraite au culte et fermée à double tour, un arbuste pousser entre les jointures des pierres : allez savoir d'où il sort, quelle mémoire il commémore. Simplement, il est là.

À la différence de ce qui arrive avec les semis, ces graines du souvenir errent dans l'atmosphère pendant de longues périodes, nous les entendons bourdonner à la manière des insectes, une rumeur de mauvais augure pour le fugitif. De temps en temps, nous en capturons une, et nous la laissons s'envoler, nous la chassons presque, mais nos sens en alerte ne peuvent s'empêcher d'épier sa route, de la voir perdre de la hauteur et se poser. Alors, en tapinois s'il le faut, nous répandons de l'engrais sur la terre en friche qu'elle a choisie par hasard pour un bref repos, nous marquons l'endroit d'un signe, nourrissant l'espoir qu'elle se l'approprie et revienne y prendre racine. Si elle ne revient pas, mauvaise limonade : un coup de gelée est tombé sur les amandiers qui commençaient de fleurir, c'est notre façon de voir ; nous sommes en train de devenir, que nous le voulions ou non, les jardiniers de ce souvenir.

Bon, drôle d'histoire. C'est la faute aux métaphores. Quand elles attaquent par la bande, elles me font tourner en bourrique, je vois ce qu'il n'y a pas et je ne vois pas ce qu'il y a. Il se peut que Magda ait raison quand elle dit que j'aurais dû écrire des vers. Parfois, nous forçons une vocation inexistante, et parfois nous refusons d'écouter l'appel des muses. Rosario Tena illustre le premier cas. Elle est sûre d'être née pour peindre, elle a brûlé tous ses vaisseaux pour y parvenir, et elle ne peut dépasser le stade de la médiocrité. Je me demande si elle le sait, si ma mère le lui a seulement dit une fois. En revanche, ses dons de pédagogue étaient réellement extraordinaires, personne n'avait su m'injecter une telle passion pour les études avant que je la rencontre.

J'y pensais cette après-midi, juste après avoir quitté Magda, je venais de refuser, aimablement bien sûr, sa proposition de me raccompagner en voiture, car elle venait d'apprendre que je n'avais pas pris la mienne. « Parler avec toi m'a énormément secoué intérieurement, lui dis-je, ne le prends pas mal, mais je préfère rentrer à pied, j'ai besoin de marcher seule. » Je lui sus gré de ne pas insister, et elle me sut gré de lui avoir raconté de si jolies histoires. « Je ne parle pas de celles de don Luis et de ses congénères », soulignat-elle en souriant ; parce que nous avions fini par discuter longuement des étranges péripéties des voyageurs au XVIIIe siècle, tous assez extravagants par tarannà. Certes, à l'époque des téléphones portables, des hélicoptères et des fax, il est difficile d'imaginer les inconforts entraînés par ces déplacements, sacré courage, « car on lit dans les documents, dis-je à Magda, qu'ils vont arriver à l'île de la Trinité, à la Jamaïque ou à Londres, à Cadix ou à Las Rozas, et moi, les premières questions que je me pose ont trait à l'endroit où ils pouvaient faire leurs besoins, mettre leurs bagages et leurs vêtements, aux moyens de locomotion par mer et par terre, aux amis laissés derrière, ces problèmes ne sont jamais abordés dans les lettres, alors, bien sûr, je me raccroche au coffret qui contient un portrait de femme comme à un clou ardent, Carlota Picolet, quel joli nom, n'est-ce pas ? Étaitelle blonde ou brune ? » « Quelle drôle de curiosité ! dit Magda. Quand je pense à toutes les photos de famille qui doivent traîner dans tes tiroirs sans que tu leur accordes la moindre attention. » Cette phrase se grava en moi pendant plusieurs jours.

En nous embrassant, nous sentions que nous étions devenues deux amies. « Prends soin de toi, me dit-elle, et contente-toi de ce qu'il y a, songe que j'ai moins de ressources que toi et que je suis plus seule. Dans cette vallée de larmes, heureux ceux qui peuvent passer un bon moment, ce n'est pas un mince privilège que de se disputer ou de rire avec quelqu'un, de le caresser, d'attendre son retour ! Ton mari doit être un soleil. »

Par association d'idées avec la vallée de larmes, car j'avais l'impression de les voir tomber du ciel comme si les hôtes de l'au-delà pleuraient sur notre mémoire déficiente, dès que j'eus pris congé de Magda je me coltinai les jardins du souvenir et les graines volantes, plongée jusqu'au cou dans la forêt des métaphores, sans rémission. Et sans crainte, avançant joyeusement comme aux sons d'un hymne, un vice qui me ravissait. Les nuées de la peur avaient été emportées et le soleil s'insinuait par les clairières de la forêt.

J'arrivai chez moi fatiguée, c'est la vérité, car de fil en aiguille mon corps avait accumulé les kilomètres ; après avoir avalé deux bols d'un *gazpacho* délicieux que la fidèle Remedios m'avait laissé dans le réfrigérateur, j'entrai dans la chambre à coucher propre et rangée en remarquant que j'avais la conscience tranquille. Aucun message sur le répondeur. Je m'étendis sur le lit, qui, depuis plusieurs semaines, était pour moi un chevalet de torture, et je me mis à penser combien il serait horrible que Tomás me quitte. Je regardai ma montre ; à dix heures je l'appellerais pour lui dire que les gens de Panasonic n'étaient pas venus, mais que ce n'était plus la peine, la chambre était maintenant autre chose, un espace ouvert et aéré, sillonné de graines volantes, je lui dirais donc de jolies choses, insinuantes et hardies, ce qui me viendrait à l'esprit ; que j'avais arrangé l'appartement et que je l'invitais à venir. Il s'étonnerait, me traiterait de folle, mais je m'arrangerais pour lui faire remarquer combien il me manquait. Et je savourai par avance notre conversation, je ciselai même quelques phrases, tout en sachant pertinemment que ce genre de fignolage ne sert strictement à rien.

Ça sentait bon. Remedios avait sûrement une nouvelle marque d'atomiseur. Mais non, quelle sottise ! ce n'était pas cela, c'était une odeur de jardin enchanté où les plantes exotiques prennent une apparence normale : les fruits du souvenir. « Parce qu'il y a déjà longtemps que tu dors dans cette chambre, me dis-je, et que tu y laisses des dépôts, jusqu'à aujourd'hui tu ne t'en étais pas rendu compte ? » Mes yeux glissaient lentement, avec délices, sur les objets et les meubles connus, retrouvant en même temps les divagations qui étaient restées accrochées à des contours précis, une tache au plafond, une prise, des tiroirs, des livres, les reflets du miroir, le téléphone, j'explorais toute cette végétation domestique et j'aspirais l'air comme si j'essayais d'identifier l'origine des différentes odeurs et de localiser les fruits cachés, avec un certain talent d'exploratrice qui veut aller au-delà de l'ivresse des arômes pour essayer aussi de les classer. Et c'est ainsi qu'apparut le portrait bleu.

— On ne peut pas tout comprendre ! dis-je à Tomás quand je ramenai de la mansarde l'autoportrait de ma mère en lui demandant la permission de le suspendre dans ce qui était peu à peu devenu notre salle de séjour.

— Je ne le prétends pas non plus, répondit-il étonné. Et moins encore explorer ton âme. Je ne suis pas curieux, tu le disais toi-même tout à l'heure, je n'aime pas ce genre de conversations. Cela te passionne que je ne sois pas curieux, ou considères-tu que c'est un défaut ? Ça, je n'en sais rien, il est difficile d'être clair avec toi.

Nous étions ensemble depuis un mois. Je crois que c'était la première fois qu'il me plantait devant un miroir pour me suggérer d'ôter quelques-uns de mes masques. Un peu plus tôt, effectivement, j'avais chanté les mérites de sa discrétion, son indifférence à fouiller dans la vie d'autrui. « Peut-être parce que les gens ne t'intéressent guère ? » lui avais-je demandé, espérant qu'il me démentirait, qu'il dirait par exemple : « Ta vie m'intéresse énormément, tout ce que tu me racontes me laisse sur ma faim. » Mais il n'en fit rien, et les choses se compliquèrent. Je me rappelle cette brève conversation, qui faillit glisser sur la peau de banane de mes sophismes, car je me sentais à découvert, comme je l'avais été si souvent sous le regard impassible de ma mère.

Le portrait, dans les sépias et les bleus, était posé contre une étagère pleine de livres ; la veille dans l'après-midi j'étais passée une dernière fois à la mansarde pour le récupérer, ainsi que d'autres affaires. Je laissais presque tout aux nouveaux locataires. Je tranchais dans le vif – du moins le croyais-je – en franchissant une nouvelle étape, pourtant ma nervosité en descendant ces escaliers pour la dernière fois et en sortant dans la rue, après avoir laissé à la concierge la clé que j'avais si souvent tâtée dans les profondeurs de mon sac, était si chargée de peurs anciennes que j'aurais dû y voir un avertissement. Mais je déteste les avertissements.

J'allai boire quelques verres dans les bars de mon quartier, passai devant le porche de doña Mila, ma professeur de russe, et fus même tentée de monter la voir, mais l'idée qu'elle pouvait être morte m'effraya. Je n'avais jamais su apprécier les avantages de ce voisinage qui soudain me manquait, comme on regrette ce qu'on a gaspillé. Si elle surgissait à l'improviste et m'appelait par mon nom, je ne saurais que dire, j'aurais l'impression de me retrouver face à un fantôme. Et je pressai le pas. Dans les trois ou quatre bars où j'échouai, les serveurs me connaissaient, mais ils ne s'étonnèrent pas de me voir ainsi chargée et je ne voulus pas leur dire que je faisais ma tournée d'adieu. Ils m'avaient déjà vue emporter ou rapporter des affaires dans les conteneurs d'ordures, les « chercheurs de perles dans les détritus » grouillaient dans ce quartier d'Antón Martín. Avec le tableau, je prenais plus de précautions, il s'agissait d'une piste difficile à effacer et elle pouvait éveiller des soupçons, je le retournais à l'envers et l'appuyais contre le comptoir, le protégeant aussitôt contre mon corps. Et je me mis à imaginer le scénario d'un film à suspense, ce qui est chez moi le premier effet de l'alcool. Première séquence : Jeune fille entrant dans un bar avec quelques paquets, parmi lesquels un tableau, peut-être volé, qu'elle essaie de cacher. Elle est connue dans l'établissement. Réactions de méfiance. À l'autre bout du comptoir, quelqu'un l'observe. La jeune fille vide son verre et lance sur un ton de défi : « Je ne suis pas du genre à regarder derrière moi ! » etc., etc. C'était au printemps, neuf heures du soir. Je m'arrêtai à temps, car je ne voulais pas m'enivrer. Depuis que je vivais avec Tomás, je n'éprouvais plus le besoin de boire.

De toute façon, j'arrivai à mon nouveau repaire, beaucoup moins provisoire, avec une euphorie incertaine et une soif inassouvie. Je n'avais envie de penser à rien de dangereux, je laissai les paquets sur la terrasse et quand Tomás arriva, je lui demandai de m'emmener danser. Je ne sais pas s'il en avait très envie. C'est lui qui choisit l'endroit, un local plutôt snob près de l'avenue Castellana. Il me demanda ce que nous fêtions et je lui dis les empreintes effacées du passé. « Cela exige du champagne », dit-il. Et il en commanda. Il danse bien, mais nous restions un peu sur la défensive. Moi en tout cas. J'étais contrariée, car je me demandais si Tomás avait remarqué que mon corps réclamait de l'alcool pour oublier mes peurs. Je lui dis plusieurs fois, un peu hors de propos : « Je ne suis pas du genre à regarder derrière moi, que cela soit bien clair ! – D'accord, mais regarde au moins où tu mets les pieds ! » Je faillis me fâcher car je crus percevoir un ton de reproche, mais je compris aussitôt qu'il avait dit cela parce que je venais de lui marcher sur le pied en dansant. Et nous partîmes d'un éclat de rire au milieu de la piste.

Le lendemain soir, cependant, en observant le portrait de ma mère appuyé contre l'étagère, cette phrase – « Regarde au moins où tu mets les pieds ! » – me remontait aux lèvres, avec le mauvais goût d'une phrase non digérée. Maman et Tomás ne s'étaient-ils pas ligués pour me lancer cet avertissement, en effet, ce n'est pas mon genre de regarder où je mets les pieds, et alors ? Est-ce si difficile de m'accepter telle que je suis ? Si je me fourre dans les ennuis, je m'en sortirai bien toute seule. Et j'avais envie de crier : « Deux contre un ! De quel droit ? Je me tire de cette maison ! »

Mais ma relation avec Roque saignait encore, et elle m'avait appris au moins une chose, à détester les transferts hystériques. Je tournai le dos au portrait. Tomás semblait attendre que je lui dise quelque chose.

— Bon, d'accord, concédai-je, tu n'es pas curieux. Pourtant, en ce moment (je te dis ce que je vois) tu me regardes avec des yeux d'inquisiteur. À quoi penses-tu ?

Après un bref silence, il prit la parole :

— Je pense à toi. Il t'arrive une drôle de chose, dont tu n'as peut-être même pas conscience. Je commence à trouver cela... Bon, écoute, je ne sais pas, quelle importance ! Ces sondages psychologiques me barbent, je te jure. Et puis je suis pressé.

— Tu commences à trouver cela quoi ? Dis-moi quelque chose !

— Tu provoques les questions, tu désires qu'on t'en pose, tu les mendies presque. Et ensuite tu te mets en colère si on entre dans ton jeu. Enfin... c'est quelque chose comme ça, dans ma profession, on a horreur des à-peu-près. J'admets que c'est un résumé sommaire.

Cela n'avait rien d'un résumé sommaire, me dis-je, les yeux de nouveau tournés vers le portrait. Avec elle, c'était la même chose. J'aimais me vanter devant mes amis d'une mère qui n'avait rien d'embêtant ni d'inquisitorial, mais je ne désirais rien tant que ses questions et la jouissance perverse de les laisser sans réponse. À vrai dire, elle avait fini par m'en poser de moins en moins. Sans aller plus loin, la veille au soir... Mais non, je ne voulais pas me souvenir de la veille au soir.

Tomás se leva et se pencha pour me donner un baiser.

— Excuse-moi si j'ai été un peu brusque. Tu sais que j'ai un rendez-vous urgent. Le portrait de ta mère, bien entendu, tu peux l'accrocher où tu veux. Mais ne te tends pas des pièges. C'était ce que je voulais dire.

— Des pièges ? Où cela, par exemple ? Donne-moi un exemple !

— Eh bien, quand tu dis qu'on ne peut pas tout comprendre. Les choses dont on se moque ne se comprennent pas parce qu'on ne s'en occupe pas, bien sûr. Mais si tu ne t'en moques pas, si elles t'obsèdent, ça vaut la peine de faire un effort et elles finissent par se comprendre un peu mieux. Ce n'est pas si difficile.

— Peut-on savoir à quoi tu penses ?

Il avait déjà esquissé quelques pas vers la porte, et il se retourna pour montrer le portrait du menton.

— À elle, dit-il. Tu passes ton temps à proclamer que tu ne l'aimes pas, que vous pouvez très bien vous passer l'une de l'autre, mais la passion remonte à la surface.

Ils se regardaient. Sur ce portrait, ma mère a une trentaine d'années, elle les a encore, embaumés en sépia et bleu, et des yeux sombres qui pénètrent partout. Tomás serait-il un de ces hommes qui auraient pu lui plaire à cet âge, quand j'avais huit ans ? J'eus une bouffée de jalousie mais je l'inversai, je suis experte dans ce genre d'alchimie intérieure. Je me levai et embrassai passionnément Tomás.

— Tu es jaloux ? lui murmurai-je à l'oreille, comme quelqu'un qui s'accroche à une planche précaire pour franchir des flots déchaînés.

— Allons donc ! Que tu es bête ! Au revoir.

Quand Tomás s'en alla, je fus prise d'un accès de fureur contre le tableau et je me mis à la recherche d'un débarras où le mettre, j'avais besoin de me débarrasser de lui comme d'un cadavre. Je n'étais pas encore très familiarisée avec l'appartement, mais avant d'entrer dans la cuisine, j'avais repéré une niche, au-dessus d'une armoire, où étaient rangés des produits d'entretien. Elle était très profonde et à moitié vide. J'allai chercher un escabeau et je versais des larmes de rage en montant le tableau. Les douleurs mal dissimulées, quand elles ressurgissent, ajoutent du venin à leur amertume, c'était une rage différée qui couvait depuis la veille au soir, quand j'étais allée le chercher dans la mansarde. Déjà, entrer dans la mansarde avait été terrible.

N'importe quel déménagement, même si on n'est pas trop attaché aux choses, est dur en soi, non seulement à cause de ce qu'il y a à jeter, mais à cause de ce qu'en pareilles circonstances on a déjà jeté. Ne regarde pas en arrière. Mais les mains tremblent.

Elles tremblaient en décrochant le tableau du mur, car l'idée me vint d'imaginer quand et pour qui il deviendrait un objet inutile. Ne vaudrait-il pas mieux que la condamnation parte simplement de moi-même ? la signature de ma mère commençait à être cotée. « Pourquoi ne le vends-tu pas ? » murmurait une voix intérieure. Mais j'étais sûr que je ne le pourrais jamais. Le suspendre dans ce lieu qui ne renfermait à mes yeux aucun souvenir était une sorte de prise de possession, comme de délimiter un territoire en friche qui a besoin de beaucoup d'attentions et d'efforts pour donner une récolte. Maintenant, je prenais congé en même temps de ce que j'avais conquis là-bas jour après jour, et de la jeune fille cinq ans plus jeune qui, contemplant pour la première fois cet espace vide et inhospitalier, immobile sur le seuil, ses valises à la main, s'était demandé : « En serai-je capable ? » tandis que ses rêves enragés d'indépendance prenaient des rides et que lui parvenaient les bruits et les odeurs qui montaient de la cour par une fenêtre qu'elle avait mis du temps à bien fermer.

Peu à peu, la mansarde prit successivement les odeurs de la peinture Titanlux, du santal, du café, du haschisch et de l'eau de toilette Alvarez Gómez, jusqu'à ce que Roque arrive et rajoute son odeur caractéristique aux miennes.

Sa conquête du territoire ne coïncidait pas avec la mienne, elles se déplaçaient et se superposaient, tel était notre jeu, un étalage d'esprit, de culot et de plaisir qui nous rongeait et qui dévastait toute récolte éventuelle. Je me demande si j'aimais Roque ou s'il me poussait seulement aux exercices d'escrime et à la familiarité avec des boissons dont il fallait continuellement augmenter les doses, préparées par chacun séparément et absorbées avec avarice. Une sorte de pari pour voir qui restait à la traîne, le réservoir vide et toute crédibilité brisée contre l'aurore, dans cet appartement aux murs bleus.

Plus tard, Roque cessa de venir. Son absence, qui fleurissait par toutes les fentes de l'appartement en terrasse, répandait une odeur stridente et têtue que mon besoin de survivre mit en paroles :

> *Entre rockeurs de vie,*
> *les chagrins amputés,*
> *rock de survie rêvé.*

Ensuite, j'amenai des rhizophytes divers et variés dans la mansarde et mon ego s'enfla, le pauvre était tellement écaillé, et il commença à sentir les fleurs en putréfaction. Souvent l'idée de la mort et que c'était une drôle de vie la vie me trottait dans la tête. Or cette longue histoire brisée, avec des étincelles de feu et des trous d'ombre, avait été présidée par le portrait que je décrochais d'une main tremblante. Mon désespoir en déménageant venait de celui que j'avais éprouvé en arrivant, et tous les deux enterraient Roque, l'emmuraient.

Soudain, alors que je venais de décrocher le tableau et que le tremblement de mes mains se calmait, le téléphone sonna. Je sursautai. C'était ma mère.

— C'est un miracle que tu me trouves, lui dis-je. Je suis passée prendre quelques affaires. Tu as reçu ma lettre ?

— Oui, mais comme tu ne me disais pas où tu avais déménagé, je t'ai appelée ici à tout hasard. Comment vas-tu ?

— Bien. J'ai un peu amélioré mon standing. Tu voulais quelque chose ?

— Avoir de tes nouvelles. En quel sens as-tu amélioré ton standing ?

— C'est-à-dire que l'appartement où je vis maintenant a un ascenseur, il n'y a pas de cafards et il est plus grand. De toute façon, tu pourrais difficilement t'en faire une idée, parce que tu n'es jamais venue dans celui-ci.

— Tu ne m'y avais jamais invitée.

— C'est vrai. Mais c'est sans importance. Quand déjeunons-nous ensemble ? Tu vas venir à Madrid quelques jours ?

— Non. La semaine prochaine, j'ai une exposition à Barcelone. Au fait, je voulais te demander un service.

— Je t'écoute.

— Je voudrais que tu me prêtes mon autoportrait pendant un mois environ. Je l'enverrai chercher à l'endroit que tu m'indiqueras. Tu veux bien ?

Je commençai à verser des larmes de rage. Elle n'avait appelé que pour cela. Elle se moquait éperdument que j'aille bien ou mal, que j'aie eu ou non du mal à décider de quitter la mansarde, et sa maison auparavant, et ensuite Dieu seul sait quoi. Son image, devant moi, m'apparaissait de plus en plus floue ; la peinture coulait et le sépia déteignait sur le bleu.

— Tu l'as toujours, ce tableau, n'est-ce pas ? insista-t-elle devant mon silence.

Je séchai mes larmes d'un revers de manche.

— C'est-à-dire que... Je l'avais...

— Comment cela, tu l'avais ?

— Oui, maman, je regrette. J'aurais préféré ne pas avoir à te le dire, mais j'ai eu pas mal de problèmes et je l'ai vendu, je n'avais pas d'autre solution.

Il y eut un silence. J'étais sûre que nous voyions toutes les deux la même chose : une rue étroite et solitaire de Tanger. J'aurais parié n'importe quoi. Une rue sans nom.

— Tu as cherché d'autres solutions ? demanda-t-elle enfin.

— Quelques-unes. J'ai envisagé par exemple de t'appeler, mais je n'en avais pas envie. Je sais que j'ai eu tort, c'est la vie. Après tout, le tableau était à moi. Point final.

Elle encaissa le choc avec son flegme habituel, est-ce que je savais qui avait le tableau, je lui répondis par la négative : je l'avais vendu aux Puces et il n'y était plus, si c'était ce qu'elle voulait savoir. Bien, dit-elle, on n'y peut rien, et elle ajouta qu'elle ne s'imaginait pas que les choses allaient si mal, « Ne t'inquiète pas, pas si mal que ça, ce sont des ornières, maintenant je suis à fond dans la préparation de mes examens », elle me souhaita bonne chance, moi de même, et pour conclure, le typique « on s'appelle, porte-toi bien ». Je ne me souviens pas d'avoir parlé de Rosario avec elle, je n'en ai pas l'impression. J'avais très envie de raccrocher.

J'aurais eu besoin qu'elle me passe un savon. J'en aurais eu très besoin.

Les souvenirs se ramifient avec une profusion inattendue, ils sont comme les sentiers d'une expédition non programmée, difficile de résister à la tentation de les explorer, mais plus difficile encore de ne pas se perdre et de revenir au flot qui les a réunis et les a vus naître. Ce contrôle de l'aventure est un privilège peu fréquent et moi, ce soir-là, après ma conversation avec Magda, j'y parvenais. Je repassais les temps, comme si je visitais les différents niveaux d'une serre pour surveiller l'effet du climat sur chacune des plantes. Le climat était ma mère, soleil qui réapparaît entre les nuages, et la serre était ma maison, celle de Tomás et la mienne, notre maison. On pouvait aussi le voir à l'envers : elle, la fleur de serre qui a besoin de ma chaleur, de m'entendre parler d'elle pour rester en vie. Je trouvai de nombreuses métaphores, elles sautaient les unes sur les autres, tandis que, étendue sur le lit, j'attendais dix heures pour appeler Cazorla, une attente agréable et divertissante sans chute de tension.

Les souvenirs tournaient autour d'un certain portrait caché précisément dans cette maison, mais les convoquer dans un espace où je me sentais bien leur ôtait tout venin, ils acquéraient la nostalgie du blues, ils ne provenaient pas pour rien d'une peinture où prédominent les tons bleus.

La tentation commença de me harceler. Et si maintenant je regardais le tableau, que se passerait-il ? J'avais besoin d'essayer. À un moment donné, je me levai, décidée, et j'allai le chercher dans la niche de la cuisine où il était resté si longtemps. J'amenai l'escabeau et je montai. Il était sous des valises, je le reconnus au toucher, car je l'avais déjà tâté, au fond de la niche, je dus introduire presque la moitié du corps pour le saisir. Avant de le sortir, je me dis : « Et si elle avait maintenant le visage sillonné de rides et un aspect horrible, comme le portrait de Dorian Gray ? » Mais non, c'était tout le contraire. Apparemment, il n'avait pas changé, mais en regardant plus attentivement on remarquait que les yeux sombres n'étaient plus tournés vers l'intérieur d'eux-mêmes, et cette position typique de la tête légèrement penchée à droite après un profond soupir suggérait un mélange d'abandon, de douceur et d'appel à l'aide.

Quand j'avais sept ans, nous passâmes un mois à Tanger, chez des amis de papa, je ne sais pourquoi, c'étaient deux hommes et ils avaient un chien, le plus âgé écrivait. Un soir, elle m'emmena et nous fîmes des achats dans une rue pleine de bazars. Elle parlait peu, et je crois qu'elle était triste, comme si elle n'avait plus de goût à rien. Elle soupira à plusieurs reprises. « Pourquoi soupire-t-on ? » lui demandai-je. Avant de répondre, elle laissa échapper un nouveau soupir, puis elle dit : « Parce qu'on a du chagrin, de l'impatience ou de la peur. Ou parce qu'on est soulagé. » Mais elle parlait sans me regarder, et je compris qu'elle ne voulait pas d'autres questions ; et aussi qu'elle ne soupirait pas de soulagement.

Au retour, nous étions un peu fatiguées de marcher, mais c'était une zone déserte, on ne voyait pas de voitures et soudain elle dit qu'elle avait l'impression de s'être perdue. Elle marchait de plus en plus lentement, regardant autour d'elle, et la pression de sa main sur la mienne faiblit jusqu'à ce qu'elle murmure entre ses dents : « Je ne peux pas », elle s'arrêta et s'accrocha à la rambarde d'un escalier. Pour moi, Tanger est cet escalier, mais si un jour je retourne là-bas, je ne crois pas être capable de le retrouver, surtout si je le cherche, ce qui n'est d'ailleurs pas du tout dans mes intentions. Quelques jours plus tôt, papa m'avait averti qu'à la fin de l'automne j'aurais un petit frère, lequel d'ailleurs ne vit jamais le jour ; c'était le printemps et j'attribuai l'évanouissement de ma mère à cet enfant capricieux et pervers qui remontait de ses tripes pour lui serrer la gorge et l'empêcher de respirer. Je savais bien que les femmes portent les enfants dans le corps pendant une période, mais j'imaginais qu'ils étaient complètement terminés dès le premier jour, juste un peu plus petits, et que leur taille augmentait, tout comme leur méchanceté ou leur bonté. Mon petit frère, encore minuscule, était méchant et jaloux de moi. Maman se laissa glisser, accrochée à la rambarde, elle tomba assise sur une marche et ferma les yeux. Je ramassai son sac et les paquets qui lui avaient échappé des mains, puis je m'age-nouillai, l'embrassant et l'appelant par son nom ; elle ne répondit pas. Elle avait la tête appuyée contre cette rambarde, et le visage glacé. Les mains aussi. Je ne savais que faire, mas j'étais sûre que si je fondais en larmes tout était perdu, car elle m'avait souvent dit que dans les moments de véritable danger le pire est de pleurer, je le savais aussi par les contes. De même que je ne pouvais pas m'éloigner, car je la protégeais, ma place était là, de ma vie je n'ai jamais eu aussi clairement conscience d'être à ma place comme ce soir-là à Tanger, à côté de ma mère évanouie qui ne pouvait dépendre que de moi, de ma foi dans notre bonne étoile. Et de la foi, j'en eus, je transformai la peur en espérance et au bout de la rue étroite et déserte se profila la silhouette d'un petit homme en djellaba à rayures et fez rouge : il se dirigeait lentement vers nous. Je l'appelai en agitant les mains et il pressa le pas. « Aidez-moi, s'il vous plaît, ma mère ne va pas très bien. » Il comprenait l'espagnol, même s'il le parlait d'une drôle de façon, c'était l'être mystérieux, sage et serein qui était nécessaire dans une telle circonstance, je le sus dès qu'il se pencha et commença à tapoter doucement le visage de maman et à réciter une litanie en arabe qui ressemblait à une prière. Quand elle rouvrit les yeux, presque aussitôt, il lui fit respirer un petit flacon qu'il sortit de sa djellaba. Maman poussa un profond soupir, de soulagement cette fois, et elle sourit, la tête penchée comme sur le tableau, ses mains tendues pour trouver les miennes. Le petit homme nous accompagna pour chercher un taxi et refusa tout pourboire. « Votre fille est très courageuse », dit-il en prenant congé.

Le lendemain, dans une pièce du haut de la drôle de maison où nous habitions, maman se mit à peindre son auto-portrait. « Mets-lui des couleurs bleues, lui dis-je, parce que lorsque tu t'es évanouie tout était bleu. »

Je dépoussiérai le tableau, l'emmenai dans ma chambre et de nouveau m'étendis sur le lit sans le quitter des yeux. Il n'est pas très grand. Je me rappelle qu'elle le termina à Madrid, le jour de mon anniversaire. Elle y avait travaillé plusieurs nuits de suite pour pouvoir me l'offrir à cette date précisément.

— Tu me le prêtes ? lui demandai-je, quand elle rentra pour me souhaiter mon anniversaire.

— Non. Il est à toi, à toi pour toujours. Tu peux le garder dans ta chambre.

— Toujours ? Même si je vais dans d'autres chambres quand je serai grande ?

— Bien sûr. Toujours, c'est toujours.

J'avais huit ans ce onze juin, et le mot toujours fut l'emballage du cadeau, je sentis que je le prenais dans mes bras comme un papier de soie infroissable.

Enfin, je poussai un soupir de soulagement : en dépit de mes impertinences gratuites, maman n'avait pas vieilli comme Dorian Gray ni comme la femme qu'un gigolo mal-traitait, dans le rêve de la nuit précédente ; que d'images, que de mots, de pièces et de toujours, qui affluaient sur le mainte-nant et qui fructifiaient dans la maison ! Je sortis arroser les plantes de la terrasse. Le temps avait fraîchi.

À dix heures pile j'appelai Tomás et j'eus la chance de le trouver, il avait une voix enjouée. Tout allait très bien, il allait justement m'appeler et il avait envie de me voir. Je lui dis qu'il était l'homme de mes rêves et que je l'attendais dans une maison neuve, la mienne, pleine de fleurs exoti-ques. L'histoire des graines volantes qui se posent dans les tiroirs et nichent dans les fauteuils refit surface, et je sentis qu'il était ravi de m'entendre, même s'il prétendait que j'étais de plus en plus folle. Tout est dans la façon qu'il a de prononcer le mot folle, très fréquent dans nos dialogues ; selon la région du cœur d'où il sort, je le sens comme une caresse ou comme une obscure menace ; ce soir-là, il avait le goût d'un cocktail au champagne, comme tout ce que nous disions.

— J'espère que tu ne t'es pas déniché une petite amie dans le coin. Je veux la vérité.

Jamais je ne lui avais demandé une telle chose, et encore moins sérieusement, je l'entendis partir d'un rire ravi, et me redemander comme avant si j'étais folle.

— Un peu folle, d'accord, c'est ce que je deviens, mais c'est la faute du temps passé sans nous parler, trop de jours sans entendre ta voix, une éternité.

Alors, Tomás dit quelque chose de très surprenant :

— Je suis flatté que cela t'ait paru une éternité, ma belle, mais les chiffres contredisent ton exagération. Il n'y a que deux jours.

— Deux jours ? Ce n'est pas possible.

— Mais si, moins trois heures, pour être absolument exact, car avant-hier il était plus tard quand tu m'as réveillé pour me parler des revenants de l'au-delà et de Robert de Niro en gardien de cimetière...

— Ce n'était pas un cimetière...

— Bon, aucune importance. Au fait, cette scène dans laquelle De Niro mange un œuf dur est tirée de *Angel Heart*, moi aussi j'ai vu beaucoup de films. Après tu t'es drôlement dostoïevskisée, tu t'en souviens ?

Oh oui, bien sûr que je m'en souvenais, pourtant il s'était écoulé bien plus de deux nuits, pas du tout, répliquait-il, il en était sûr, parce que justement... Je cessai de l'écouter, pour refaire mentalement le calcul, « de la nuit au Residuo à celle du village indien, une, et de cette dernière à celle de ce soir, deux »... C'était donc vrai, le compte était bon.

— Tu as raison, c'était avant-hier, je viens de le réaliser. Mais j'ai du mal à y croire, je te le jure.

— Pourquoi ?

— Parce qu'il m'est arrivé beaucoup de choses, énormément, tu n'en as pas idée.

— Je peux aussi te demander si tu as déniché un petit ami ?

— Je n'en ai pas besoin, je n'attends que toi, j'ai arrangé l'appartement pour te recevoir et il est embaumé de fleurs. Ce sont des choses intérieures qui me sont arrivées.

Il éclata de rire.

— Intérieures ? Attention, danger ! Attache-les avec des lacets de couleurs pour qu'elles ne s'envolent pas.

— Mais je n'ai pas arrêté une seconde de toute l'après-midi. Je t'aime. Quand reviens-tu ?

— Peut-être trois jours, en tout cas pas plus. On a presque terminé.

— C'est vrai ? Quelle joie !

— J'espère qu'ils ne vont pas te profiter autant que les deux derniers, sinon je ne saurai pas comment m'orienter dans tes jardins intérieurs. Tu vas devoir engager un guide. Mais de grâce, qu'il soit moins sinistre que Robert de Niro. Regarde dans les pages jaunes. Tu le trouveras peut-être au mot amour.

— J'adore quand tu deviens surréaliste. Et tu as une très jolie voix. On ne te l'a jamais dit ?

— Pas toi, mais ma petite amie de Cazorla, une brunette très mignonne, en raffole.

Au moment de raccrocher, je n'avais plus du tout sommeil, je me sentais dégagée et rassurée. Capable de toutes les prouesses. Je regardai le portrait de ma mère.

— Tu sais, lui dis-je, je crois que je vais aller voir Rosario. Si elle n'est pas là, je reviens et on n'en parle plus. Il n'est pas très tard.

XV

La prof aux petites lunettes

Elle arriva en novembre, pour remplacer un professeur titulaire en congé de maladie je crois qu'on appelait cela un professeur associé, « on va avoir une pistonnée de don Carlos », disaient des camarades au bar alors que nos cours n'étaient plus assurés de depuis plus d'une semaine, le genre de poste qu'on acceptait en période de pénurie. Elle n'avait pas rédigé de thèse de doctorat, elle n'était pas sûre de vouloir passer des concours pour se consacrer entièrement à l'enseignement, mais elle était enthousiasmée par la peinture du *Trecento* italien, dont elle ne cessa de nous parler, bien qu'il y ait d'autres sujets au programme.

— Bon, je commencerai par le *dolce stil nuovo* : certains de ses adeptes, comme Orcagna, Giotto ou Ambrogio Lorenzetti, étaient dans la plénitude de leurs facultés créatrices au début du XIVe siècle. Puis j'essaierai de sauter jusqu'à Léonard de Vinci, mort en 1516, si le voyage n'est pas interrompu avant, car que je ne finirai sans doute pas l'année avec vous – nous dit-elle le premier jour – ; permettez-moi donc de vous raconter les choses à ma façon et non en suivant un ordre strict, vous pouvez imaginer, si vous en avez envie, que nous sommes partis en excursion.

181

« Le *Trecento* n'est pas un espace fermé, il est ouvert par le toit et par le sol, autrement dit les artistes nés ou morts au xive siècle tissent des trajectoires qui proviennent du précédent ou débordent sur le suivant, ils se sont connus à un moment donné ou du moins ont entendu parler les uns des autres, ils sont influencés par Dante et Pétrarque, qui ont sûrement regardé certains de leurs tableaux, et ils dépendent de différentes familles de magnats tour à tour alliées ou ennemies, dont les méfaits ne doivent pas nous faire oublier les fruits de leur mécénat. Tout se superpose, c'est une période de grande fermentation, d'histoires qui ne cessent de se succéder et de mêler leurs eaux. Aussi, vu les difficultés de la classification et le peu de temps dont je dispose, car il faut souhaiter que don Carlos revienne vite, j'ai décidé de vous présenter les tableaux par sujets plutôt que par dates, en accordant un intérêt particulier à ceux que je préfère, je vous prie de m'en excuser. Considérez qu'il s'agit d'un échantillonnage, d'une vision partielle susceptible d'être élargie, puisque toute chose fait partie d'un ensemble. Les totalités m'assomment, je préfère vous en avertir, et je ne conçois la connaissance que sous une forme fragmentaire. Mais enfin, si j'obtiens que vous regardiez les quelques tableaux que je veux vous montrer avec le dixième d'enthousiasme et de curiosité qu'ils éveillent en moi, je m'estimerai largement satisfaite. Ah, j'oubliais, je m'appelle Rosario Tena et j'ai trente et un ans. Quelqu'un d'entre vous peut-il aller demander à l'appariteur si l'appareil de projection fonctionne normalement ?

Ce n'était pas un discours d'introduction très orthodoxe et, malgré l'indifférence et la méfiance qui accueillent généralement dans un amphi bondé la venue d'un professeur remplaçant, il se fit un silence presque immédiat.

Elle était menue, avait des cheveux raides, portait des lunettes sans monture et un béret. Au lieu de hausser le ton ou de prendre des attitudes qui dénotent la volonté de s'imposer ou d'attirer l'attention, elle se contentait de cette force de conviction des timides quand ils lancent en l'air des graines hardies qu'ils ne s'attendent à voir s'attacher à aucune terre. J'étais au second rang, côté couloir.

— Merci, mademoiselle... dit-elle quand elle vit que je me levais pour aller chercher l'appariteur.

J'ai une assez bonne oreille, et je repérai dans le second mot de sa phrase l'intonation d'une question.

— Soler, dis-je. Agueda Soler.

Et nous échangeâmes un regard.

Nos regards s'étaient déjà croisés un peu plus tôt dans le bar, ce genre de regards où chacun devine que son propre aspect a frappé l'autre. Mon attention fut attirée par sa pâleur, par son très long manteau noir et par la position du corps, légèrement rejeté en arrière contre le dossier de la chaise. Elle avait les mains croisées derrière le cou, sa tête s'y appuyait et elle murmurait quelque chose entre les dents en regardant dans le vide, songeuse. « N'est-ce pas l'auxiliaire d'histoire de l'art », me dis-je en remarquant à côté de sa tasse de café vide le livre de *Pijoan* ouvert et quelques diapositives qu'elle examinait de temps en temps. Moi aussi je dus éveiller sa curiosité, je réfléchissais et je me rongeais un ongle, était-ce à cause de cela ? Avant, c'était un geste inconscient, ensuite il s'est imposé avec une certaine complaisance, car sur les photos où je me ronge un ongle je me trouvais un air intéressant, je ne sais pas, en tout cas si je tournais les yeux vers elle, je croisais parfois les siens. Il y eut même une fois l'esquisse d'un sourire complice devant la maladresse d'un jeune homme dégingandé qui avait renversé sa boîte de Coca-Cola sur ses notes et qui ne savait comment nettoyer. « Ouïïïeee, ouïïïeee, Ouïïïeee ! murmurait-il affolé, ouïïïeee, ouïïïeee, ouïïïeee ! » Je tombai amoureuse de l'intelligence que transparaissait dans ce sourire fugace de

Rosario, presque imperceptible, apitoyé et amusé, le sourire typique des gens qui, sans cesser de remuer leurs propres pensées, ne perdent pas un détail, de ce qui se passe autour d'eux. Elle se leva, alla au comptoir et rapporta un chiffon sec qu'elle tendit au jeune homme. Puis elle retourna s'asseoir à sa table, pas très loin de la mienne. Nous étions seules toutes les deux, et personne ne s'approcha de nous pendant toute cette période.

Il faut dire que je ne devins jamais intime avec mes camarades de cours, garçons ou filles, j'avais des amis dans des lieux plus encanaillés et pour moi aller à la fac – et je n'y allais pas tous les jours – représentait une corvée un peu irritante. Si je terminai mes études, sans beaucoup d'efforts ni d'intérêt, ce fut seulement pour faire plaisir à mon père, qui me « voyait » chercheuse dans une université américaine.

« Je t'assure, lui dis-je un jour, que si je voulais m'en donner la peine, je te donnerais assez de bonnes notes pour tapisser tout ton bureau, mais j'ai des professeurs particulièrement ennuyeux, papa, qui n'ont rien de stimulant, beaucoup visent la chaire pour accéder à des postes politiques, ils donnent leurs cours par devoir, répétant mal ce qui est écrit dans n'importe quel manuel, et les amphis sont bondés, personne n'écoute. Si tu veux rédiger un devoir brillant, c'est pour être remarqué par le professeur, n'est-ce pas ? pour essayer de devenir son ami, car ses propos te plaisent ou enflamment ton imagination. Quand tu as rencontré maman, n'était-ce pas ce qui se passait ? » Il me dit qu'en effet j'avais raison, et nous finîmes par parler de *La Révolte des masses*, un essai qui l'a toujours enthousiasmé ; enfin, je ne sais pas s'il a encore le temps de lire aujourd'hui ne serait-ce qu'un roman policier. Résultat, la seule bonne note que je pus décrocher au cours de mes études, mon père la doit à Rosario Tena, et encore ce ne pas elle qui me la donna, car elle partit après la semaine sainte, mais un don Carlos abattu, en mauvaise forme, qui venait de subir l'ablation d'un rein et peut-être même d'autre chose. Mais en tout cas pas du neurone capable de reconnaître et d'apprécier le travail bien fait, je n'ai pas un curriculum très brillant à mon actif, mais ce devoir fut une vraie réussite, j'aimerais avoir la moitié de mon inspiration pour raconter l'histoire de Vidal y Villalba, un devoir ordonné et rigoureux, mais qui délirait complètement. Nous étions tombés sur Léonard de Vinci, rien de moins, avec tout ce que j'avais déjà appris en cours sur Léonard de Vinci, et que je n'ai pas oublié, car ce qui a été bien appris ne s'efface jamais, j'avais même lu ses journaux en entier et je commençai la rédaction par une phrase de lui qui je gardai longtemps punaisée dans la mansarde aux murs bleus : « Il est utile à l'artiste de repasser chaque soir dans son esprit les choses qu'il a étudiées ou méditées dans la journée. Au lit, dans le repos des heures nocturnes, il est bon de laisser l'imagination tracer les contours des silhouettes qui réclament davantage d'étude. Alors, les images des objets se vivifient et l'impression se fait plus forte et plus présente », quel type génial ! Par-dessus le marché, il inventait des machines, c'est pourquoi par la suite je pris très mal les commentaires burlesques de Roque sur la Joconde.

Quand pourrai-je enfin, mon Dieu, revivre isolément une scène quelconque de ma vie sans que s'y mêlent je ne sais combien d'autres scènes, qu'elles soient miennes ou pas, quand pourrai-je enfin repêcher un poisson perdu sans obliger sa famille et voir briller le soleil sur ses écailles ?

Pas de doute, mon attitude est une sorte de maladie. Et justement si les cours originaux de Rosario me passionnèrent, c'est parce que je compris dès le premier jour qu'en tant qu'intermédiaire entre notre fin de millénaire chaotique et la peinture du *Trecento* elle était victime de mon propre mal, autrement dit que toute cette manie de classer les tableaux par émotions contradictoires, horreur et sensualité, harmonie et désordre, effort et ennui, enfer et ciel, etc., lui arrachait la peau par lambeaux dans certaines zones secrètes de son âme, j'ignorais lesquelles car je mis longtemps à être admise dans son intimité, mais pas de doute, cela se remarque jusque dans la façon de regarder, comme se reconnaissent entre eux au premier coup d'œil les homosexuels ou les drogués. La prof aux petites lunettes appartenait à l'espèce des oiseaux onto-logiques, c'est du moins ainsi que je la cataloguai.

Une fois l'appareil de projection vérifié, avec l'aide de l'appariteur, Rosario Tena écrivit une date au tableau, 13 septembre 1321, soigneusement, d'une écriture grande et claire.

— Je vous ai déjà dit, expliqua-t-elle en se retournant vers nous, que je ne suis pas esclave des dates, mais celle-ci est importante : c'est celle de la mort, à Ravenne, à cinquante-six ans, de Dante Alighieri.

Puis elle demanda qui parmi nous avait lu *La Divine Comédie*. Aucune main ne se leva. Elle le comprenait, dit-elle, l'ouvrage faisait peur, comme tous les classiques que depuis notre plus tendre enfance on essaie de nous adminis-trer par intraveineuse, mais *La Divine Comédie* n'était pas plus difficile à lire que le *Ulysse* de Joyce par exemple, et plutôt plus amusante.

— À part les questions de goût, conclut-elle, si j'en parle, c'est parce que c'est, me semble-t-il, un livre fondamental pour tous ceux qui veulent apprendre à regarder un tableau et à en déchiffrer les symboles, il stimule la compréhension du chaos. Il y a une excellente traduction en espagnol d'Angel Crespo.

Presque aussitôt elle se mit à parler de *La Divine Comédie*, et je me rendis compte que je prenais des notes, une drôle de réaction chez moi, comme si je prenais des photographies. On voit apparaître successivement une louve, une panthère et un lion au pied de la colline. Puis Virgile entre en scène, une sorte d'ombre qui se met à parler. C'était ce que je voyais, et j'étais prête à continuer dans la direction indiquée par la voix de cette fille aux petites lunettes qui n'avait que huit ans de plus que moi et quatre ans de moins que Dante lorsqu'il s'arrête perplexe dans la forêt obscure du début et avoue qu'il a perdu son chemin. Elle parlait sans consulter aucun livre, tout en commentant celui-là « en diagonale », selon son expression, en intercalant néanmoins des citations qu'elle avait l'air de connaître par cœur, comme si elle survolait le texte, à la fois sûre et naïve ; et dans la forêt obscure où se trouve le poète égaré, sans savoir comment il est arrivé jusque là, Virgile, Dante et moi étions guidés par Rosario Tena, nous passions d'abord à travers un immense et terrible entonnoir fiché au centre de la terre, puis nous prenions la direction du sommet d'une montagne formée par les rochers que Lucifer avait déplacés dans sa chute, et nous arrivions enfin, après avoir franchi sept corniches, à la cime désirée des jardins de l'Éden où le poète va trouver Béatrice qui regarde le soleil avec les yeux de l'aigle et qui lui dit :

> *Tu t'alourdis toi-même*
> *avec des idées fausses, et ne peux voir*
> *choses que tu verrais, si tu les secouais,*

un monde transparent, mais difficile à comprendre, car il nous prend par surprise, car nous sommes habitués au mal, un espace sans doute un peu froid, comme l'est l'exercice aigu de l'intelligence, mais aussi dantesque que celui que l'on qualifie couramment ainsi en fonction de ses effrois, comme nous payons cher la sublimation exclusive du sombre et du tortueux, l'excursion littéraire dans la gueule du loup. Un garçon malingre qui avait des yeux profondément cernés, assis à côté de moi et qui dormait toujours en cours, poussa un profond soupir et émit une sorte de soufflement :

— Ouais, quelle fille ! dit-il comme pour lui-même, elle en connaît un rayon !

Virgile et Rosario ne nous montraient pas seulement les grottes, les rivières souterraines, les êtres défigurés par la torture et les lagunes ténébreuses, mais aussi la brise froide qui vous effleurait quand on sortait de la geôle vers la lumière, une lumière lointaine et insaisissable d'astres qui palpitent dans un autre hémisphère et nous envoient leurs rayons d'espérance. Mais ce sont des pauses, et il faut le savoir, dont l'essence réside dans leur fugacité même, la douleur est là, derrière chaque escarpement, la gueule grande ouverte, et cela, il ne faut pas l'oublier, Dante ne permet pas qu'on l'oublie. Dans le *Paradis*, il y a sans cesse des références à notre condition mortelle, de la même façon que l'on trouve des traces de plaisir dans *L'Enfer* et dans *Le Purgatoire* ; le message codé était là, il consistait à nous faire remarquer qu'au cours du voyage entrepris nous étaient révélés les aspects complémentaires de la frise de la vie et de la mort, de l'horreur et de la béatitude, de la proximité et de l'éloignement ; tel était le sujet de *La Divine Comédie*, un livre de voyage illustré. Quant à Rosario Tena, notre Virgile, elle voyait dans ces illustrations l'aventure de l'homme capable d'aiguiser son intelligence et de vaincre sa lâcheté pour trouver le salut au sein du chaos, mais incapable de s'en passer, car c'est une tâche vaine et une prétention orgueilleuse de lutter contre le chaos ; et moi, je prenais des notes si fébrilement que j'en avais mal à la main, car les idées ne cessaient d'affluer au rythme de celles qu'elle énonçait, des exemples qu'elle donnait.

— Par exemple, Virgile fait comprendre à Dante, à la fin de la première partie, que pour échapper à l'Enfer, la seule solution est de s'appuyer sur le diable, de se laisser tomber sur les flancs velus de son corps gigantesque, ainsi commencent-ils à glisser tous deux dans les touffes de sa toison, comme s'ils descendaient des marches. À un moment donné, Dante remarque avec terreur qu'ils montent au lieu de descendre, et il croit qu'ils retournent au royaume des ombres, mais ce n'était pas du tout un mauvais tour du diable, et ils n'avaient pas dépassé le point le plus enfoui, au contraire, s'ils montent c'est simplement parce qu'ils sont en train de sortir : « Et maintenant tu es venu sous l'hémisphère / opposé à celui que couvre le grand sec », lui dit Virgile. Vous ne trouvez pas qu'il est émouvant de sortir du mal par les échelles même du mal, de changer sa destination sans nier son existence, en le mettant à profit ?

Plus d'un quart d'heure s'était écoulé et un silence unanime régnait dans l'amphithéâtre. C'était en novembre, nous venions d'avoir trois jours de vacances à cause du pont de la Toussaint et Rosario Tena dit que la fresque qu'elle allait nous projeter lui semblait d'actualité pour commémorer la mémoire des fidèles.

— Parce que nous vivons dans les faubourgs de la mort, dit-elle, il faut en avoir pris conscience au moins une fois pour comprendre des œuvres comme celle d'Orcagna.

Elle parlait d'une voix grave et étouffée. Beaucoup plus tard, j'appris qu'elle avait perdu un frère dans un accident de moto peu de temps auparavant.

— Nous allons rencontrer très fréquemment des thèmes de *La Divine Comédie* sur les tableaux que je vous montrerai en cours, ascension et chute, lévitation et abîme, peur et courage, et toujours la menace de la mort qui encercle la vie comme un cortège invisible. Ou inversement, car d'autres fois ce sont les troupes de la vie qui prennent d'assaut le château de la mort et mettent en fuite ses fantômes. Enfin, conclut Rosario, les peintres du *Trecento* avaient lu Dante tel un bréviaire ; Giotto par exemple était un de ses amis intimes. Ce sont des artistes aussi littéraires que *La Divine Comédie* est picturale. Parfois, on s'attendrait même à trouver une petite pancarte, comme une légende de bande dessinée. On va le voir tout de suite.

Et elle nous projeta des fresques du Campo Santo de Pise attribuées à Orcagna, un peintre dont je n'avais jamais entendu parler de ma vie, la projection dura jusqu'à la fin du cours, elle se contentait de brefs commentaires, à mesure qu'elle projetait des détails significatifs ou anodins, comme si elle explorait l'un après l'autre les recoins d'une chambre. Le tout avec beaucoup de lenteur, pour que cela se grave sur notre rétine, car c'était là que résidait, disait-elle, le plaisir de la contemplation. À une extrémité, on voit un groupe d'hommes et de femmes se réjouissant dans un verger au son du clavecin. Deux anges soutiennent au-dessus d'eux, déployé comme une tenture, un panneau avec cette devise : « Ni le grand savoir ni la richesse, moins encore la vanité ou une noblesse sans tache, ne vont délivrer ces gens de la mort », en italien bien sûr, mais elle traduisit le texte. De l'autre côté, une chevauchée, composée aussi d'hommes et de dames, avançant en toute insouciance à travers la montagne, sursaute en découvrant trois cercueils béants contenant des cadavres en décomposition. Le ciel est sillonné par des anges et des démons qui, à la manière d'une bande d'insectes surréalistes, se disputent la proie des vivants. Dans le désert, loin de la faux colossale de la mort, deux ermites, plongés dans leurs méditations, semblent être les seuls dont le visage reflète la sérénité.

— L'auteur, s'il s'agit d'Orcagna, ce qui n'est pas prouvé, conclut Rosario Tena, a préféré mettre l'accent sur l'inexplicable et le mystérieux plutôt que sur une prétention de morale. Dans ce tableau, je vois surtout un hymne à l'absurde, c'est sans doute pour cette raison qu'il me paraît si moderne et si intemporel. Depuis que le monde est monde, vivre et mourir sont les côtés pile et face d'une même pièce jetée en l'air, mais si on a face c'est encore plus absurde.

Pour moi, si vous voulez la vérité, c'est une drôle de vie, la vie. À vendredi.

Ainsi s'acheva son cours. Je notai dans mon cahier, comme point final à mes notes : « Drôle de vie la vie. (Titre possible pour une chanson). »

Le jour même, je commençai de lire *La Divine Comédie*.

XVI

Rupture avec le duplex

Il se passa beaucoup de choses dans ce cours. La principale est que je quittai la maison. Juste au moment où je vis pour la première fois la prof aux petites lunettes dans le bar de la faculté, j'écrivais à ma mère une lettre que je ne lui envoyai pas, car ma graphomanie n'a d'égale que mon repentir épistolaire : mes livres et mes tiroirs débordent de brouillons dont les destinataires sont le plus souvent elle ou Roque, et plus tard Rosario, il y a aussi quelques lettres déjà cachetées et timbrées, et d'autres incomplètes ; sans compter la nombreuse correspondance que j'ai déchirée.

Mais cette lettre, je ne l'ai pas déchirée. Elle a réapparu l'autre jour entre les pages de *La Divine Comédie*, du côté du *Purgatoire*, elle est inachevée, et la voici :

Chère mère,

Quand je t'ai dit hier que je partais de la maison, tu ne m'as pas demandé d'explications. C'est ce qui me fait le plus mal de ta part : jamais tu ne me demandes d'explications, tu me forces à t'en donner qui n'en sont pas, pour justifier ma propre conduite que ton silence condamne, tu as dû être étonnée par ce que je t'ai dit, et même te sentir offensée, je ne veux pas que tu me voies

193

mendier aux portes de ton visage quelques pièces de compassion ou de colère, et cela me pousse à mentir, à bafouiller, j'aurais préféré que tu claques la porte, ébranlant une des cloisons de ce duplex neuf et somptueux que je déteste, c'est ce que je ne t'ai pas dit hier, je m'en vais parce que je le déteste, parce que tu ne m'as pas demandé mon avis quand tu l'as choisi ni quand tu t'es débarrassée des meubles que j'aimais beaucoup, tu me diras qu'il est presque impossible de s'entendre avec moi, que je suis partie un mois à Genève, que je me moque de tout et qu'une fois je t'ai même demandé de me laisser tranquille, que ça m'était égal, que tu n'avais qu'à prendre tes décisions toute seule et je t'ai dit merci, mais moi, mère, les quatre mois que je viens d'y passer m'ont fait regretter furieusement l'odeur de l'autre maison, encore si profondément marquée par le désordre et les indécisions de papa, je sais bien que tu n'aimes pas que l'on parle de lui, que tu trouves cela inutile, et c'est vrai que cela ne sert à rien de ressasser les mêmes choses, à savoir qu'il y a huit ans que papa nous a laissées seules, confrontées à nos différences, de l'histoire ancienne, oui. Je voudrais, même si je ne suis pas capable de te le demander, rechercher avec toi les points communs qui peuvent exister en dépit de nos différences, que tu m'aides à les accepter, c'est lorsque tu les oublies ou que tu prétends les annuler que se creuse le fossé qui nous sépare, et je ne sais depuis quand. J'aimerais aussi savoir en quoi je t'ai déçue, je sais que je ne suis pas facile d'accès, que je mets des barrières, que je ne suis pas toujours très souple, mais toi tu es aussi peu flexible que moi. Enfin, pour en revenir au duplex...

J'avais laissé la lettre inachevée. Sans doute parce que la prof aux petites lunettes me changeait les idées. Enfin, pour

194

en revenir au duplex (que ma mère, disait-elle, avait été si heureuse d'aménager pour nous et dans lequel je ne restai pas cinq mois), il était et il est toujours du côté du stade Bernabeu, il était grand et lumineux, avait trois salles de bains, deux entrées indépendantes et assez de place pour y vivre ensemble sans nous déranger l'une l'autre. Il était entendu que ma partie, beaucoup plus petite, je pouvais la décorer et la bourrer d'objets à ma fantaisie, y amener qui je voulais, mais plus tard je compris que mon rejet était né, presque comme une répugnance physique, quand je m'étais rendu compte, devant tant de luminosité et de propreté, que j'avais perdu mes traces familiales et que je ne pourrais en laisser aucune en ce lieu.

Après les fêtes de Noël, adoucies par la lecture de Dante, je déménageai dans l'appartement en terrasse d'Antón Martín où, peu à peu, à force de divagations solitaires d'abord, de débordements érotiques ensuite, je consommai la rupture avec mon adolescence de fille unique, décidée à échapper, même par les pires moyens, à la tyrannie de parents séparés et cultivés, qui prétendent l'avoir élevée pour qu'elle vole de ses propres ailes et ne tombe pas dans la sensiblerie. Je vivais de mes traductions du russe, je lisais énormément et mes rapports avec maman s'étaient améliorés. Nous déjeunions souvent ensemble, j'avais laissé des livres et des vêtements dans le duplex, elle m'avait donné un jeu de clés qu'elle refusa toujours que je lui rende, mais que j'utilisai très peu. « Même si tu ne viens pas tout de suite, me disait-elle, elles peuvent servir à un ami dans le besoin, on ne sait jamais. Et cet espace est à toi. » Elle disait « tout de suite » sur un ton machinal et peu convaincu, comme si elle appuyait sur un interrupteur qui obscurcissait ses mots au lieu de les éclairer, le mensonge et la détérioration passent souvent par les adverbes de temps. Je ne tardai pas à remarquer qu'elle ne considérait pas ma rupture avec le duplex comme un épisode provisoire. Et je crois, bien que je n'en aie pas la preuve, qu'elle en fut soulagée.

Ce qui en revanche ne fait aucun doute, c'est que ce soupçon du soulagement, fondé ou non, rendit définitive ma décision de ne pas revenir.

Les débuts de l'été coïncidèrent avec un tourbillon d'effervescence et de plénitude, de ces étapes où on a le sentiment qu'il n'y a rien d'impossible. J'avais fait la connaissance de Roque début mars, et s'il devenait peu à peu une drogue dure pour moi, rien ne m'avait mis sur mes gardes. Pas de syndrome d'abstinence, et sa fréquentation n'avait rien de contre-productif pour l'exercice de mes intérêts, toujours plus intenses et variés. Au contraire, je dévorais les livres, je visitais des musées que je n'avais jamais vus, je composais des chansons et remettais avec plus de ponctualité que jamais mes traductions du russe. Il me suffisait d'une petite douche et d'un café pour me sentir agile comme une gazelle et me remettre la tête bien en place, même si j'avais veillé tard. Si je voulais me présenter à un concours, je n'envisageais même pas la possibilité de le rater, j'étais parvenue à m'installer dans le *carpe diem* le plus absolu. Et ma nouvelle demeure commençait à me plaire. J'avais vaincu le pire. Du moins le croyais-je.

Dans mon souvenir, le *Trecento* italien, implanté au cœur de cette période comme un jardin luxuriant, enchanté et parfois redoutable, est le point de départ d'une série de sentiers qui croisent ceux qu'ont empruntés les personnages de Giotto, Dante, Fra Angelico ou Lorenzetti, je revois encore ces scènes reproduites sur des cartes postales punaisées dans la mansarde aux murs bleus, leurs empreintes y restèrent à côté de celles de ma propre histoire, odeurs et saveurs mêlées, une cuisine qui admettait la luxure et la contemplation, méchanceté et pardon mijotant dans la même marmite.

« Tu ne te lasses donc jamais de rien ? » me demandait Roque, les yeux noirs comme des charbons fixés sur une quelconque pirouette de mon corps. D'autres fois, il les fermait à demi ; sensuel et paresseux, il s'endormait toujours avant moi et je n'ai pas souvenir qu'il se soit jamais levé le premier. En revanche, il arrivait souvent qu'il me réveille en m'appelant par l'interphone d'en bas à une heure incongrue, parce qu'il avait envie de me voir, il mit longtemps à accepter le jeu de clés que je lui proposais de temps en temps, « les jeux de clés sont la serrure des jeux de l'amour, plus tu enlèves de difficultés, plus tu en rajoutes, tu ne le savais pas ? » À l'époque, je trouvais ces formules formidables, et elles étaient probablement justes, comme je le vérifierais par la suite. Je me douchais et m'habillais, je lui donnais un baiser, le laissais endormi et me retrouvais dans la rue, fredonnant un nouvel entrerock. Si au retour je ne le trouvais pas et qu'il n'avait pas laissé de mot, peu m'importait, cela faisait partie du jeu qui n'avait rien à voir avec celui des clés, et peu m'importait aussi de perdre sa trace pendant quelques jours, il m'aimerait toujours et toujours je lui manquerais, j'en étais sûre, quelle horreur, cette maxime qui dit : « Moineau pris vaut mieux que cent qui volent. »

En général presque tous les proverbes étaient horribles, et j'adorais afficher une attitude contestataire devant ce concentré de conseils thésaurisés par la sagesse populaire. Je pense aujourd'hui que c'était une attitude trop radicale, qu'en réalité ils ne sont pas tous aussi méprisables que je ne le prétendais, en outre j'aurais dû apprécier la richesse métaphorique des proverbes, car elle nourrit – même si c'était pour contredire son contenu – le style poétique de certaines de mes chansons comme « Moineau pris ». Un autre proverbe que je détestais, « Qui trop embrasse mal étreint », inspira les paroles de « Embrasser à bras-le-corps », un entrerock que je n'ai jamais enregistré, mais qui me rapporta quand même un peu d'argent, car j'en cédai les droits à des chanteurs-compositeurs connus. Et pendant l'été dont je parle, il eut son heure de gloire, on l'entendait à la radio et dans les discothèques. C'était ce que je voulais, et cela me paraissait alors possible : d'embrasser à bras-le-corps.

Début septembre, je rencontrai Rosario Tena un dimanche matin au musée Reina Sofía. Pendant ses cours, je n'avais presque jamais échangé un mot avec elle, car ni l'une ni l'autre ne fréquentions le bar de la faculté, et moi, même si je trouvais un professeur sympathique, l'aborder à la sortie sous prétexte de faire mon intéressante m'était insupportable, je suppose que ce refus de tout ce qui peut passer pour de la pommade est un héritage de mon père. C'était au professeur de faire le premier pas, disait-il, et non à l'élève. Cependant, lorsque Rosario Tena était partie sans presque dire au revoir, j'en avais été contrariée, avec même avec une pointe de mauvaise conscience de ne pas avoir cherché à la remercier pour ses cours.

Sur d'autres terrains moins clairs, son absence aussi laissait entre nous des comptes en suspens. À de nombreuses reprises, il m'avait semblé percevoir que ses cours m'étaient exclusivement adressés, mais comme elle ne recherchait jamais ma compagnie et ne me saluait pas de façon particulière quand nous nous croisions dans le couloir, je finis par écarter cette impression comme illusoire – c'est un conseil de mon bon sens, lorsque je me laisse aller à l'égolâtrie.

Bref, je fus absolument ravie de tomber sur Rosario par inadvertance en ce matin de septembre où je n'avais prévu rien de passionnant. Il était midi, et mon projet solitaire d'aller voir une exposition de peinture cubiste fut automatiquement éliminé, quand j'eus repéré, à travers les vitres de la galerie, cette silhouette de femme qui m'était si précieuse et familière.

En tout cas, je commençai par l'observer un bon moment, me demandant même si je devais l'aborder, car elle ne m'avait pas vue et ne semblait pas avoir l'intention de se soucier du monde extérieur. Elle attendait peut-être quelqu'un. Elle était assise dans la cour intérieure, sur un banc de pierre, la tête baissée et les mains le long du corps. Elle me paraissait en mauvaise forme et excessivement pâle, elle n'avait pas dû recevoir un seul rayon de soleil de tout l'été. Ses cheveux avaient poussé et elle les avait rassemblés en queue de cheval. Elle ne bougeait pas, ne regardait pas autour d'elle. Elle ne lisait pas non plus.

Je m'approchai et m'immobilisai devant elle, mais elle ne releva pas tout de suite vers moi ses yeux absents.

— Tu te souviens de moi ? lui demandai-je. Tu m'as donné cours cette année. On peut se dire tu ?

Elle acquiesça sans un mot.

— Je peux te dire tu, ou bien tu te souviens de moi ?

— Les deux, dit-elle d'une voix atone.

Plus trace de ce regard vif et accueillant qui avait attiré mon attention la première fois que je l'avais vue au bar de la faculté.

Je lui demandai si elle attendait quelqu'un, non, pas du tout, et si je pouvais m'asseoir un moment avec elle. À quoi elle répondit par un haussement d'épaules.

— Moi, ça m'est égal, à toi de voir. Excuse-moi, ajouta-t-elle, je ne suis bonne à rien aujourd'hui. J'ai eu une sale journée. Une journée horrible.

Et sa voix se brisa.

Je n'aime pas être indiscrète. Mais je ne peux pas non plus résister lorsque quelqu'un pleure, même si ma réaction devant les larmes est souvent la fuite. Ce matin-là, au contraire, je m'assis sans hésiter à côté de Rosario Tena et je passai un bras autour de ses épaules osseuses qui se mirent aussitôt à trembler. Elles étaient nues, émergeant d'une robe noire à bretelles qui accentuait la blancheur de sa peau.

Je sentais que ce n'était pas le moment de lui parler de moi, de lui dire combien j'avais appris à ses cours, et que ce serait presque un péché d'inventer une phrase brillante. À ce moment-là, elle n'était plus la prof inspirée capable de survoler *La Divine Comédie* d'un air serein, avec un regard adamantin, c'était un être torturé qui se débattait dans les flammes de l'enfer. Et moi, qui devais-je être dans cette situation ?

— Si tu veux parler, n'hésite pas, sinon, aucune importance. Mais je t'aime beaucoup, c'est vrai, et je regrette que ça n'aille pas fort. J'aimerais bien faire quelque chose pour toi ! lui dis-je, étonnée moi-même de la tendresse avec laquelle je le disais.

Alors, elle se mit à pleurer sans retenue, la tête appuyée contre ma veste, et nous restâmes ainsi pendant quelques instants, moi lui caressant les épaules et les cheveux, et elle pleurant ; je lançai même un coup d'œil à la ronde, car cela me gênait. Je lui proposai de venir un moment chez moi, ce n'était pas loin ; elle me dit d'accord, sans se départir à aucun moment, ni avant ni pendant qu'on allait à la mansarde, de son mutisme, un peu hostile, de victime qui, tout espoir perdu, se raccroche à la première planche de salut qu'on lui tend, avec des gestes crispés de naufragé.

Nous avancions en silence dans la rue Santa Isabel, elle continuait de pleurer et je ne savais que dire, mais je me croyais toujours obligée de la soutenir par les épaules, pourtant j'étais épouvantée à l'idée de tomber sur Roque.

Quand par la suite me revenait parfois (sans que je l'aie convoqué, naturellement) le souvenir de cette scène, je réalisais que presque aussitôt elle m'avait paru insupportable et Rosario un peu collante, mais je dois reconnaître aussi que c'est moi qui l'avais provoquée, personne ne m'avait demandé de m'asseoir à côté d'elle, de lui passer le bras autour des épaules et de lui dire que je l'aimais. C'est la première fois de ma vie – et la dernière – que j'ai caressé une personne inconnue sans intentions érotiques. Que s'était-il donc passé ? S'agissait-il d'un hommage à Dante ?

Tandis que je la précédais – cette fois c'était moi qui incarnais Virgile – dans les escaliers raides de la mansarde, priant tous les saints du ciel pour que Roque se soit esquivé, j'étais déjà consciente que l'être tourmenté qui me suivait était la contre-figure de celui qui était parvenu à séparer verbalement l'ordre du chaos. La prof aux petites lunettes avait disparu, laissant dans son sillage la petite provinciale ambitieuse, impatiente et un peu amère que ses confidences me révélèrent par la suite. Beaucoup moins douée, en outre, pour la narration épique de ses propres chagrins que pour embrasser lyriquement la souffrance sans rémission de tout le genre humain.

Heureusement, Roque n'était pas là, il m'avait laissé un mot pour me dire qu'il repasserait dans l'après-midi avec sa moto, au cas où j'aurais envie de faire un tour.

Quand il vint me chercher vers huit heures, j'avais déjà expédié Rosario Tena au duplex, car son problème le plus urgent était celui du logement, elle avait la tête en compote et elle était épuisée. Je dis à Roque par l'interphone qu'il pouvait monter un moment s'il voulait, mais que j'avais mal à la tête et n'avais pas envie de sortir.

Il monta et, bien qu'il n'apprécie guère les histoires sentimentales, je lui résumai celle de Rosario. Elle était d'une famille de pêcheurs de Santander, étudiante remarquée, elle avait été boursière, maintenant elle était sans travail et venait de quitter l'appartement qu'elle habitait à Madrid, car ses relations avec son beau-frère, patron d'un bar à Moratalaz, étaient devenues insupportables, et sa sœur était incapable de prendre sa défense, une histoire un peu sordide : elle faisait cause commune avec son mari.

— Tout le monde n'a pas la même chance, dis-je à Roque, tu vois bien, on se moque d'elle parce qu'elle veut être peintre.

— Peintre ? Mais tu ne m'avais pas dit qu'elle était très bonne prof ?

— Si, très bonne, la meilleure que j'ai eue, mais elle ne voit pas les choses pareil, depuis son enfance elle rêve de devenir quelqu'un, d'avoir une œuvre reconnue et d'y laisser sa peau. Elle a fait quelques expositions dans des villes du Nord, dit-elle, mais rien de consistant.

— Et comment peint-elle ?

— Ça, je n'en sais rien. Mais ma mère s'y connaît dans ce domaine. Je l'ai appelée pour qu'elle s'occupe d'elle et je l'ai envoyée au duplex. Elle croyait que je voulais le lui louer, mais je lui ai expliqué que non ; lorsqu'elle serait célèbre, elle me paierait un loyer.

— Elle a dû se croire en plein conte de fées.

— Plutôt. Surtout quand elle a compris que j'étais la fille d'Agueda Luengo ; elle n'en croyait pas ses yeux. Elle l'admire énormément, apparemment.

— Alors, où est le problème ? Pourquoi fais-tu cette tête ? Tu as joué les bonnes fées, tu as redonné une utilité à ce duplex qui te cause de drôles de remords, et par-dessus le marché tu vas peut-être rendre ta mère heureuse.

— Espérons, dis-je pensive. Elles ne seront pas obligées de se voir beaucoup, car les deux appartements sont indépendants. En fin de compte, je suis chez moi dans le mien. Mais je préférerais qu'elles s'entendent.

— Tout dépend de la tendance de ta mère à jouer les Pygmalion.

— Aucune, elle n'est pas folle, avec moi elle ne l'a jamais fait. Depuis mon plus jeune âge, elle me demande de l'empêcher de s'angoisser pour ma vie et de vouloir l'infléchir, elle redoute ces mères qui à force de jeter à la figure de leurs enfants ce qu'elles ont fait pour eux finissent par croire qu'elles ont même le droit de leur réclamer ce qui ne leur a jamais appartenu, elle dit que la vie n'appartient qu'à ceux qui s'en saisissent et la conquièrent tout seuls. Moi, elle ne me protège pas, bien entendu.

Roque me regardait non sans ironie, comme s'il était revenu de ce genre de discours. Je ne lui parlais jamais de ma mère.

— Mais enfin, ma belle, tu n'as rien à y voir, ne te mêle pas de ce bourbier. On ne joue pas les Pygmalion avec ses enfants, mais avec des gens d'une autre espèce. Ce sont des tendances secrètes. Nous, ce qu'éprouvent les parents pour ces gens, nous n'en savons rien. Si ça se trouve, ce truc lui convient. Et si ça lui convient, tu peux être sûre que cette belle-sœur offensée qui rêve de gloire est de la viande de Pygmalion pour ta mère. Allons, oublie ça, viens perdre ton mal de tête avec un peu d'air sur la figure. Pas la peine de te préparer, tu es sexy au superlatif, d'ailleurs on n'a pas le temps : ma moto est en bas, mal garée au milieu du trottoir.

Le temps passant, quand j'allai voir la première exposition de peinture que Rosario avait pu organiser à Madrid, sans doute grâce aux recommandations de ma mère, je ne pus m'empêcher de penser à Roque – qui par ailleurs à l'époque me rapportait plus de problèmes que de plaisirs –, et de reconnaître le talent qu'il avait toujours eu d'épingler les gens, comme des papillons dans une boîte vitrée.

En premier lieu, les tableaux de Rosario étaient lamentables, surtout parce qu'il sautait aux yeux, pour une personne vaguement au courant, qu'ils étaient une pâle copie de ceux de ma mère. Par surcroît elle l'imitait dans sa façon de s'habiller et de marcher, et jusque dans la voix. Ma mère a un style trop personnel pour que l'imitateur, surtout s'il est à côté d'elle, ne se fasse pas remarquer. En tailleur-pantalon rose, avec un sourire prétendument hautain et un balayage dans les cheveux, Rosario côtoyait les amis de maman sans grâce ni aisance, épiant sans cesse sa personnalité. Quand je m'approchai pour la saluer, je compris qu'elle devinait ce que je pensais de ses tableaux et du reste, bien que je ne le lui en aie jamais rien dit. Je crus percevoir au fond de ses yeux affables l'éclair d'une épée brandie.

Et m'apparut pour la première fois l'image d'Ann Baxter dans *Ève*.

XVII

Les marches du diable

C'est moi, Agueda. Ouvre-moi, lançai-je de la rue d'une voix ferme. Tu ne dors pas encore.

Et j'entendis dans l'interphone un « Non ! Ce n'est pas possible ! » qui avait l'air de venir d'outre-tombe, étouffé par un sanglot qui tenait du hurlement.

— Allons, pas de scène, répondis-je avec impatience. Laisse-moi monter, s'il te plaît. À moins que tu ne sois en compagnie et que je dérange ?

il y eut pour toute réponse le claquement du déverrouillage de la serrure, et je poussai la porte avec une pointe de mauvaise humeur. Après tout, je prenais trop de gants. L'appartement de Rosario était toujours à moi, et même le duplex tout entier désormais, avec tous les objets de valeur qu'il pouvait contenir, y compris les tableaux signés Agueda Luengo : quel que soit le testament qu'elle avait laissé, et même si elle n'en avait laissé aucun, elle était divorcée de papa et j'étais sa seule héritière. Mais ces considérations mesquines et si éloignées du « coup de tête impétueux » qui avait guidé ma voiture du côté du Bernabeu s'annulèrent d'elles-mêmes lorsque je me rappelai la signature, dans le coin inférieur droit de ces tableaux si cotés. J'oublie parfois que je porte le même prénom qu'elle et que nos voix se ressemblent beaucoup. Aussi ma mauvaise humeur naissante provoquée par le gémissement feuilletonesque de Rosario se dissipa-t-elle à l'instant où j'appuyai sur le bouton numéro 15 de l'ascenseur. Pauvre femme, avec mon « Je suis Agueda, ouvre-moi » par ailleurs si intempestif, j'avais vraisemblablement dû lui causer une peur mortelle.

C'était bien cela. Elle me l'avoua de prime abord, dès qu'elle me vit sortir de l'ascenseur, car elle m'attendait devant la porte ouverte – « excuse-moi, mais j'ai cru que c'était elle » – et elle ajouta qu'elle n'avait pas osé passer chez moi, mais qu'elle commençait à craindre que j'aie quitté Madrid, quelle chance de pouvoir me parler avant de s'en aller, un ami passait le lendemain avec une fourgonnette pour prendre ses affaires, elle n'emportait rien de ce qui n'était pas à elle, pas une aiguille, il y avait tant de choses qu'elle voulait me donner, et les clés, bien sûr, en plus de tout les remerciements qu'elle voulait me faire, pour le moment elle ne pensait pas revenir à Madrid, et ce flot de paroles avec les yeux encore humides, elle répéta plusieurs fois « enfin » et « quelle chance », de façon entrecoupée, avant même de me laisser entrer, nous étions face à face, sur le seuil du vaste vestibule qui donne dans l'atelier de ma mère, après des embrassades compulsives et maladroites qui ne facilitaient pas les choses, « tu es venue, c'est l'essentiel, quel soulagement, quelle chance ».

Je ne sais pas si c'était de la chance, mais le monde des ombres, pour reprendre les mots de la prof aux petites lunettes, ne semblait pas vraiment avoir bénéficié de la dédramatisation de ces « quelle chance » qui se succédaient comme des éternuements. Ou alors, l'expression déjà inscrite sur le visage de Rosario avant mon arrivée était encore plus sombre que celle que j'avais devant mes yeux, ce qui était difficilement imaginable. Tout son être suggérait l'opacité de ces fenêtres des wagons abandonnés sur une voie de garage. Elle avait nettement grossi, elle s'exprimait sur un ton très tendu et portait un jogging bleu.

J'étais étonnée qu'elle ne m'ait pas ouvert la porte d'en haut, c'était là que j'avais sonné et c'est une entrée indépendante, bien que l'ascenseur n'atteigne que le quinzième étage gauche et droite, séparation qui en son temps avait été implacablement annulée au marteau piqueur, l'appartement d'en haut est beaucoup plus petit, de la rue on voit une sorte de donjon.

Ma mère adorait les plans, quand j'étais petite elle me dessinait des cités imaginaires pleines de cachettes, et puis elle se mit à détester les cachettes. (Je ne parle pas des cachettes intérieures, qui proliféraient, me semble-t-il, à mesure qu'elle abattait ou rêvait d'abattre des cloisons.) Cette répartition des espaces ouverts dans le duplex, elle l'avait en tête depuis longtemps, peu après avoir quitté papa, et elle en avait suggéré l'idée à un architecte de ses amis après avoir économisé suffisamment d'argent, c'était une idée fixe, ce fameux duplex, moi je la voyais toujours en train de consulter un plan ou d'en dessiner un, qu'elle essayait de me montrer, je partais en courant, « écoute, laisse-moi tranquille, c'est toi qui gagnes l'argent, non ? alors fais ce que tu veux » ; elle avait toujours aimé la décoration d'intérieur et elle s'entendait très bien avec la corporation des architectes, d'autant mieux qu'ils étaient plus modernes. Maintenant, j'ai de la peine, car elle n'a connu Tomás que très superficiellement, et un peu de remords, car c'est de ma faute ; une fois, en discutant avec lui de l'idée du duplex, il m'avait dit que cette idée de deux entrées indépendantes lui semblait formidable, une forme de cohabitation très bien résolue, y compris pour des couples.

Pourquoi Rosario était-elle descendue m'ouvrir par là ? À l'intérieur, toutes les lampes étaient allumées et j'entrevis par-dessus son épaule l'étendue de ces surfaces crème et vert très pâle, sans recoins ni mystère apparent, mais sait-on jamais, dans lesquels Agueda Luengo s'était fébrilement adonnée à son travail trois années de suite, les plus importantes de sa carrière. J'étais rarement venue la voir, c'est la vérité, mais il me reste la consolation que ma dernière visite, au début de cette même année, avait été une véritable fête où nous avions beaucoup ri.

Nous avions surtout parlé des cloisons et de sa façon de les abattre, « abattre des cloisons, ma fille, c'est jeter des affaires ou des papiers qui encombrent, c'est opérer une tumeur avant qu'elle ne devienne maligne, ou faire de la gymnastique pour rester en forme, tu sais que je n'aime pas les obstacles entre l'air et moi, tu ne le comprends pas parce que tu n'es pas encore vieille, vous les jeunes vous respirez sans vous en rendre compte », je lui dis qu'elle non plus n'était pas vieille et qu'elle ne le serait jamais, que cette façon d'abattre les cloisons, de se débarrasser des meubles et des papiers était naturellement une manie, mais pas forcément de vieille, au contraire, une manie de caractère, car nous avons chacun le nôtre, je lui demandai aussi si son allusion à la gymnastique pour rester en forme était dans son esprit une métaphore, « une métaphore ? Tu vas voir », elle s'étendit par terre, et sans décoller les fesses de la moquette elle redressa les jambes, jointes et droites, un plaisir à voir, la pointe des pieds tournée à angle aigu vers la poitrine, j'essayai de l'imiter mais impossible, « sûr que tu vas arriver jusqu'à cent ans, Luengo », lui dis-je, parce que lorsque nous étions d'humeur à rire je l'appelais Luengo, et elle « De grâce, Dieu m'en préserve », une après-midi inoubliable, seules toutes les deux, qui aurait pu imaginer qu'il ne lui restait même plus six mois de vie ? Rosario était allée passer les fêtes de Noël à Santander ; Tomás n'était pas venu, nous avions pourtant beaucoup parlé de lui cette après-midi,

208

« moi non plus je n'ai pas très envie de me lier avec sa famille, tu sais, ensuite tout se mélange, nous sommes très contents comme ça, mais si tu veux que je te dise la vérité... » Elle m'interrompit en disant qu'elle se contenterait d'une demi-vérité ; ni elle ni moi n'avions été élevées pour aller plus loin, sérieuse et souriante en même temps, comme si cette confession l'autorisait à partager entre nous deux la responsabilité de nos erreurs, et il s'établit soudain une complicité très douce qui allégea le poids des confidences. « D'accord, cela étant dit, sache que la mère de Tomás ne me fait ni chaud ni froid, mais là c'est différent, c'est moi qui ne l'aide pas à te connaître à fond, parce qu'il tomberait sûrement amoureux de toi. » Elle éclata de rire et dit que j'étais vraiment incorrigible, même avec un architecte à mes côtés, que j'étais née gazeuse et que je mourrais gazeuse, cette allusion aux bulles nous incita à ouvrir une bouteille de champagne français qu'elle avait dans le réfrigérateur et que nous dégustâmes avec des canapés au caviar et au saumon fumé, il était très tard, il neigeait un peu et à travers les grandes baies du studio on voyait briller les lumières au sommet des édifices, saupoudrées de flocons naissants qui dansaient en tourbillons, maintenant elle préparait une exposition qu'elle avait intitulée « Géographie urbaine » et elle me montra quelques esquisses, « Tu es devenue un peu new-yorkaise, Luengo », elle haussa les épaules avec un sourire légèrement triste, « nous devenons ce que nous pouvons, dit-elle, il y a longtemps que je ne prends plus mon pouls ».

Je finis par lui parler de Vidal y Villalba, qui braillait en moi depuis plus de quatre ans pour savoir quand je le tirerais des papiers poussiéreux ; je prenais en charge son histoire avec le plus grand sérieux, j'avais récemment relu les premiers interrogatoires auxquels il avait été soumis dans sa prison par don Blas de Hinojosa, et je fis un récit assez passionnant, il est vrai que le visage de ma mère m'encoura-

209

geait, je l'avais rarement vue me regarder avec autant d'émotion quand je lui racontais quelque chose, je veux dire bien sûr depuis que je suis adulte, car lorsque j'étais enfant elle buvait mes paroles. « Dis donc, Agui, c'est une pure merveille, on dirait un roman policier, avec en plus le témoignage d'un serviteur qui feint la folie, tu te rends compte que tu ne peux pas laisser tomber cela ? — C'est exactement ce que m'a dit Tomás. » Elle sourit et passa la main dans mes cheveux. « Si nous sommes deux à te le dire, tu laisseras sûrement tomber, mais se sera dommage. » Je lui promis que non, qu'avant la fin de l'année j'aurais commencé de rédiger, mais qu'auparavant je devais classer par ordre chronologique, premièrement les déclarations de don Luis et de son serviteur, deuxièmement les papiers officiels concernant l'affaire et troisièmement les rapports médicaux, je m'étais inscrite à un cours d'IBM, mais je n'y allais pas souvent, cela m'ennuyait, avec moi les machines ne marchent jamais. Bien sûr, c'étaient des prétextes – je le reconnaissais –, en réalité j'étais en train d'attraper une maladie qui a un nom, la maladie de la thèse ; et je lui racontai l'histoire d'une Anglaise qui était venue s'installer définitivement à Simancas, où elle passa des années à suivre la piste de certains personnages qui avaient accompagné Christophe Colomb dans son voyage en Amérique, je crois qu'il s'agissait de cela, et qui n'était pas parvenue à écrire un mot, elle était morte de vieillesse un matin, alors qu'elle entrait aux Archives pour ses recherches, elle a une plaque à l'endroit où elle était tombée, foudroyée. Ma mère rit beaucoup, à gorge déployée, « quand tu es en verve, je ne connais personne de plus drôle que toi ».

Nous parlâmes à peine de Rosario, et je me demande maintenant pourquoi pendant toutes ces heures il ne fut question de Rosario que pour dire que ces derniers temps elle allait assez souvent à Santander, je n'eus pas l'impression que ma mère évitait le sujet pour une raison particulière, je crus plutôt comprendre qu'au niveau où en était son éventuel « pygmalionisme », ce personnage ne l'intéressait plus beaucoup. Elle précisa que le caractère de Rosario s'aigrissait un peu.

Nous restâmes dans le studio jusqu'à une heure avancée, c'est la dernière fois que nous eûmes une conversation mémorable, ce fut aussi son dernier anniversaire, à la veille des Rois, je lui avais acheté un foulard en soie naturelle.

— Mais entre donc, dit Rosario, qui devait peut-être commencer à trouver mon silence un peu drôle.

— Écoute, si cela ne t'ennuie pas, je préfère monter à pied par l'autre porte – dis-je en indiquant la volée d'escalier qui menait à la partie supérieure du duplex. Je n'ai pas encore le courage de voir le studio qu'elle occupait, j'espère que tu le comprends.

— Si je le comprends ? Pour moi, c'est pareil.

— Alors pourquoi es-tu descendue m'ouvrir par ici ? J'ai sonné au bouton d'en haut. C'est toi que je viens voir.

— Ma foi, je ne sais pas... tu as raison – dit-elle déconcertée. J'y vais de suite et je t'ouvre en haut, mais tu sais, il y a un désordre innommable, je suis en train de ranger toutes mes affaires, tu vas avoir une impression horrible...

— Quelle importance, Rosario, je t'en prie ! Je ne viens pas te rendre une visite de politesse, coupai-je, tandis que je lui tournais le dos et commençais à gravir les dix-neuf marches qui séparent les deux niveaux.

Je les montai très lentement, en les comptant une par une, bien décidée à désactiver toute trace d'agressivité envers Rosario avant d'avoir mis le pied sur la dernière. Le ton évidemment timoré et même un peu servile de ses excuses trahissait l'angoisse de l'accusé qui est menacé d'éventuelles vérifications. Mais non, je n'étais pas don Blas de Hinojosa, et il ne s'agissait pas de l'interroger sur l'éventuelle nature de ses relations avec ma mère, ni de régler des comptes ou de ressortir le linge sale du passé. Maintenant, il s'agissait de nous deux, de notre présent, de la possibilité de faire la paix après une guerre que j'étais consciente d'avoir attisée. Drôle de vie la vie, c'est elle-même qui avait insisté sur une telle bizarrerie à la fin d'un cours inoubliable sur l'art et la vie dont je n'avais pas encore eu l'occasion de la remercier, très drôle en effet, quand nous étions toutes les deux encore vivantes, comme son frère Miguel et Agueda Luengo, quand nous étions encore capables de sortir la tête du chaos pour les solliciter et contempler leur fulgurance d'astres qui palpitent dans un autre hémisphère, c'était surtout de cela que j'avais envie de parler avec Rosario, je venais lui rendre ce qu'elle m'avait enseigné, le lui rappeler pour que maintenant elle puisse s'en nourrir.

L'appartement était en effet dans un état lamentable, pas seulement à cause des multiples piles de livres et de linge, des valises béantes à demi remplies ou des tableaux – pas toujours emballés – qui encombraient le passage, mais à cause d'une particularité invisible que seuls peuvent percevoir les experts : un mélange indéfinissable d'odeurs de médecine, qui s'est toujours révélée d'une efficacité douteuse contre cette maladie souveraine que Fichte localisait dans l'inertie de l'être humain, capable de juguler toute velléité de libre-arbitre. Les sièges étaient encombrés d'affaires, et les tentatives invertébrées de Rosario pour organiser un milieu plus agréable échouaient, simplement parce qu'elle manquait de conviction. Comme des coups d'épée dans l'eau. J'en savais un bout sur la question. Si j'excluais sa propre personne – me dis-je en fermant les yeux –, cet ensemble avait une certaine harmonie. Un peintre est incapable de placer les objets dans un tel désordre.

— Je t'en prie, reste tranquille, lui dis-je. N'essaie pas d'enlever quoi que ce soit. Si tu voyais ma propre maison...

Enfin, depuis ce matin c'est un peu mieux, parce que la femme de ménage est venue. Tu te souviens de ce que disait Dante à Béatrice ?

> « *Tu t'alourdis toi-même*
> *avec des idées fausses, et ne peux voir*
> *choses que tu verrais, si tu les secouais,*

« Je récite parfois ces vers comme une prière, mais évidemment je les oublie au moment où j'aurais le plus besoin de m'en souvenir. Il en est toujours ainsi. De toute façon, les choses finissent par trouver leur place toutes seules, Rosario, simple question de temps, c'est leur affaire, toi, laisse-toi porter par le temps, d'accord ? n'essaie pas de gesticuler contre lui.

— Moi, ne pas gesticuler contre le temps ? demanda-t-elle en articulant lentement, légèrement déconcertée.

— Oui, c'est ce que j'ai dit. Viens.

Je m'étais assise sur la moquette, les jambes croisées à la manière arabe, et de la main je l'invitai à m'imiter, tout en cherchant à m'appuyer contre le dossier d'un fauteuil.

— Allons, viens ici, quel besoin a-t-on des chaises ? Moi, j'adore m'asseoir par terre, pas toi ? Dans la mansarde d'Antón Martín où tu es venue une fois, je ne le faisais presque jamais, parce que j'avais peur des cafards, mais je suppose qu'ici il n'y en a pas.

Rosario avait renoncé à son activisme inutile et elle me regardait, émue et somnambule, un paquet de linge dans les bras.

— Non. Je n'en ai vu aucun, dit-elle d'un ton éteint. Mais les pires sont ceux qu'on a là-dedans, voilà une invasion redoutable. De la taille des bisons. Je coule, je te le jure, Agueda.

Et en prononçant ce nom, sa voix tremblait.

— Jette tout ça par terre et assieds-toi, veux-tu ? lui dis-je avec ce mélange d'autorité et de douceur que je parviens rarement à combiner dans des proportions acceptables. Nous n'allons pas pleurer. Nous allons mûrir notre stratégie. Rappelle-toi que pour échapper à l'enfer, le plus ingénieux est de profiter des marches que, à son insu, le diable nous offre lui-même.

Et je souris intérieurement en me rappelant subitement ma « douleur d'angle » de cette autre après-midi, si vive et récente, et cependant déjà si lointaine. Quels intérêts juteux n'étais-je pas en train de tirer de ma rencontre avec Roque. Avec le diable, il suffisait parfois d'oser lui arracher son déguisement.

Je fus contente de voir que Rosario obéissait à mes suggestions sans rien demander. Elle laissa tomber les vêtements, s'assit en face de moi, le dos appuyé contre le mur, elle poussa un profond soupir et ferma les yeux. Je prolongeai la pause à dessein. Ce visage commençait à émettre de la lumière. Pour la première fois depuis bien longtemps, je revoyais la prof aux petites lunettes. Seulement, maintenant, c'était elle qui paraissait attendre mes instructions.

Au lieu de lui en donner, je franchis à quatre pattes l'espace qui nous séparait et je l'enlaçai étroitement.

— Tu sais, nous ne coulons pas, lui dis-je tout bas. Nous émergeons. Et elle nous guide. Accroche-toi à moi.

XVIII

Don Basilio prend congé

Il y a une colonne où est gravée la date de ce soir-là, sur laquelle repose l'édifice de tout ce qui est survenu ensuite.

Le lendemain matin, ayant à peine dormi trois heures, je me sentais néanmoins capable d'acrobaties mentales audacieuses, aussi bien avec moi-même qu'avec le monde en général : cela devait se lire sur mon visage, car Magda s'en rendit compte en arrivant, quand elle me vit assise sur les marches des Archives, attendant l'ouverture. Elle s'étonna de me voir levée si tôt, mais encore plus de l'air de jeunesse que j'avais, de loin elle s'était même demandé si c'était moi – dit-elle en m'examinant en détail comme si elle cherchait une cause palpable à cette transformation.

— Tu t'es coupé les cheveux ?

— Les cheveux ? Non.

— Mais on dirait une autre, ma fille. Je ne comprends pas, il t'est arrivé quelque chose.

— Bah, hier soir j'ai fait la paix avec une amie. Tout bien réfléchi, c'était une sorte de nettoyage de peau, en effet.

— Je me disais aussi... Après tout, une simple cloison sépare l'âme du corps, il vaut mieux qu'ils se comportent en bon voisins.

Elle avait prononcé la fin de la phrase sur un ton de caté-chèse.

— Parfois ils se crêpent le chignon, dis-je, il ne faut pas l'oublier. Mais là où je ne suis pas d'accord, c'est pour la cloison. Je les vois dans la même pièce. Et naturellement ils couchent ensemble.

Magda eut un rire un peu forcé. Peut-être ses convictions religieuses l'empêchaient-elles d'accepter sans scrupule une métaphore aussi osée.

— Tu as de ces idées ! Au fait, demanda-t-elle avec curiosité, vous étiez très fâchées, ton amie et toi ?

— Pas vraiment. Un malentendu. Mais avec beaucoup de ramifications. Un jour, je te raconterai.

— Vraiment ? Chouette ! J'ai passé la nuit à penser à ton mari. Pour la bonne cause, comprends-moi bien, ajouta-t-elle en rougissant légèrement. Je veux dire que je suis conquise par ta façon de raconter les choses. Toute l'histoire de ton ivresse. C'est vrai, tu sais, on aurait dit un roman.

— Eh oui, lorsqu'on commence à renouer les fils, chacun découvre son propre roman enkysté quelque part à l'intérieur. Tant qu'on ne l'a pas raconté à quelqu'un d'autre, on ne le sait pas. Voilà en quoi ça consiste.

— Ah non, excuse-moi, mais il y a aussi l'art et la manière, dit Magda. Moi, le roman que je suis en train de lire, écoute-moi bien, il raconte les expériences d'un entomologiste à l'époque victorienne, un peu d'amour aussi, mais pas beaucoup, il s'agit surtout de la vie des insectes, et tu vois, je trouve dommage d'arriver à la fin, parce qu'il explique vraiment très bien. L'auteur est une femme, je ne me rappelle pas son nom, mais elle vit encore. Je t'assure, le genre de livre qu'on ne peut pas lâcher, Le titre pourrait se traduire par *Anges et Insectes*. Tu lis l'anglais ?

— Oui.

— Alors, dès que je l'aurai fini, je te le passe, je l'ai acheté à Noël à Londres, une amie me l'avait recommandé.

216

Je ne la laissai pas continuer, j'en avais assez des romans qui me tombaient dessus ces derniers jours, je n'allais pas m'intéresser en plus aux péripéties d'un naturaliste anglais décrivant la vie des insectes. Je fis stop avec la main. Si on gardait cela pour un autre jour ?

— Quand un tiroir est plein à ras bord, tu auras beau faire, tu ne pourras plus rien mettre dedans, Magda, pareil pour les valises, même si on s'assied dessus ; d'ailleurs, il reste toujours des affaires dont on ne sait pas quoi faire. C'est ce qui s'est passé avec cette amie hier soir, elle s'en va à Santander, je te raconterai. Et tu me raconteras l'histoire du naturaliste, d'accord ?

— D'accord, sourit-elle. Mais il y a plus de suspense dans la tienne. Ça se lit sur ton visage.

Il y avait beaucoup de travail ce jour-là et je sus faire face avec efficacité et bonne humeur, même si de temps en temps ma tête partait dans les nuages en pensant au roman de Rosario, le revivant à travers les mots qui avaient enfin jailli de son puits d'ombre, quelle chance, comme des seaux débordant d'eau fraîche. Moi aussi, j'en avais sorti quelques-uns, il n'était pas si difficile de copier ses manières, le tout était de s'y mettre, quelle merveille. La poulie rouillée de nos puits respectifs grinçait, nous tirions sur la corde et buvions toute l'eau de ces seaux qui se retrouvaient vides peu après être apparus sur la margelle, car nous étions assoiffées toutes les deux. Nous avions du retard dans notre soif d'Agueda Luengo, dans notre soif de découvrir son reflet dans nos yeux.

Et je compris presque aussitôt que sa mort avait laissé Rosario plus confondue et dépossédée que moi, elle se sentait orpheline, comme ces gens qui se réveillent au milieu du désert après un mirage prolongé. Pour moi, pas question de mirage. Qu'il y ait eu non pas une mais plusieurs personnes chez ma mère, je le savais depuis longtemps, et même si je ne les connaissais pas toutes, je pressentais qu'aucune d'elles n'était disposée à se laisser vampiriser par des amours exclusives, nous étions de la même race. Mais il y avait aussi une chose que personne ne pourrait jamais me voler : mon enfance privilégiée. Celle de Rosario, indigente et hostile, sans autres ressources que celles de sa propre fantaisie, avait couvé deux forces alliées : l'ambition de s'élever et la tendance à se laisser éblouir par ce qu'elle n'avait jamais eu, et qu'elle n'avait trouvé que dans la littérature.

Elle lisait voracement depuis sa plus tendre enfance tout ce qui lui tombait entre les mains, en partie influencée par son frère Miguel, qui fut séminariste et finalement renonça, elle le cita souvent dans son récit, Miguel – qu'il repose en paix –, le seul de la famille à encourager ses goûts, un grand poète. Mais tout ce qu'elle voulait, c'était peindre, échapper au sordide quotidien par les couleurs. Elle s'asseyait au port pour attendre l'arrivée du bateau de son père, elle respirait l'odeur de la mer, regardait le coucher du soleil en plissant les paupières, et elle avait l'impression de voir se dessiner un pont entre son corps recroquevillé et des régions inexplorées qui paraissaient l'appeler, un pont fragile et dangereux, elle le savait, mais elle se révoltait à l'idée de demeurer éternellement sage, tache grise devant cet ensemble ; un jour elle serait capable de transférer sur un tableau non seulement ces changements chatoyants de lumière, mais les sentiments opposés que lui inspiraient un bref coup de pinceau nacré couronnant les nuages ou un soupçon inattendu d'orage.

Une symbiose, par ailleurs, que ses phrases parvenaient à capter avec une précision intense, mais que je n'avais jamais vue palpiter dans ses tableaux. Elle peignait avec la bouche mieux qu'avec les pinceaux – comment ne pouvait-elle pas s'en rendre compte ? –, avec un résultat à des années-lumière de là, je le lui dis quand eut complètement disparu le blocage initial entre nous, quand je fus ivre de son discours qui oscillait entre la peur et l'espoir, qui amenait sur le tapis, pour les illustrer, aussi bien un muletier peint par Giotto et penché pour boire l'eau que saint François faisait jaillir d'un rocher, qu'un sonnet de Juan de Arguijo que je savais par cœur depuis mon enfance, « La tempête et le calme ». On le trouve dans les *Mille Meilleures Poésies en langue castillane*, il m'a toujours paru plutôt conventionnel, mais dans sa bouche il créait derrière elle un décor impressionnant de mer en furie, *grossit sa fureur et la tempête grossit*, tandis qu'un nuage noir cachait les fulgurances du soleil rougeoyant ; Rosario fermait les yeux, la tête contre le mur, et sa poitrine se gonflait par saccades, elle se calma en arrivant aux tercets finaux :

Mais ensuite je vis se rompre le noir voile,
Se dissoudre dans l'eau, et à sa prime lueur
restituer joyeusement le jour chatoyant.

Et nouvelle splendeur le ciel tout brodé
je regardai, et dis : Qui sait si mon bonheur
peut s'attendre un jour à semblable changement !

Là, je n'y tins plus et je lui dis :

— Écoute, maman ne t'a pas rendu service en t'encourageant à suivre ses pas, si tant est qu'elle l'ait fait ; tu n'as à suivre ceux de personne, chez toi l'artiste est issu de tout cet amalgame de calamités que tu ressens lorsque tu te mets à regarder l'art et la littérature en espérant échapper de l'enfer, c'est là que tu puises ton pouvoir de métaphore, que tu transformes ce que tu dis en chemin de lumière pour les autres, pendant les cours, les gens s'en apercevaient, ils restaient bouchée bée, ce département n'a jamais connu, je te le jure, un enseignant comme la prof aux petites lunettes. Crois-moi, passe les concours de recrutement ! Tu es née pour cela, un point c'est tout.

Rosario m'écoutait, songeuse et ravie, ma mère ne lui avait jamais prodigué de tels conseils.

— Parce qu'elle ne connaissait peut-être pas tes talents oratoires, t'exprimais-tu avec elle comme tu le fais avec moi ?

Elle secoua la tête négativement, en regardant par terre, non, la passion aveugle, le besoin d'être aimé et de susciter l'admiration nous rendent vulgaires. Elle ajouta qu'elle avait du mal à parler de sa propre vie, on se rend compte très vite qu'on ne fait qu'égratigner la coquille de la coquille.

Je sentis que nous étions au bord d'un sujet tabou : celui de ses relations avec ma mère.

Quand nous nous retrouvâmes dans le studio de celle-ci – nous y étions finalement descendues pour que j'y récupère quelques affaires, des bijoux et des papiers –, Rosario se borna à dire qu'il était bien difficile de l'aimer, je me contentai de répondre que je le savais. Mais le brouillard derrière lequel se cache Agueda Luengo ne fut pas dissipé par le témoignage de Rosario Tena, et pas davantage, deux jours plus tard, par celui du grand-père, si on peut appeler témoignage des apports aussi vagues. Elle continue de se profiler au loin, pareil à un sphinx dans la brume, telle est sa condition, une histoire de tarannà. « Il ne nous convient pas d'être aussi évidents », aimait-elle à me dire.

Remedios qui, ces jours-là, montait matin et soir pour remettre la maison en état avant le retour de Tomás, raccourcit un des tailleurs qui allaient le mieux à ma mère, celui qui a une veste bleue en soie naturelle, elle le mettait souvent en été. C'était une reprise de rien du tout, dit Remedios à genoux, la manche pleine d'épingles, il suffisait de reprendre deux centimètres à la taille, pour le reste il m'allait comme un gant, « Tournez, vous voyez ? À moins que vous ne le vouliez plus court ? — Non, non, jusque là, au ras du genou.

220

— Madame, Dieu l'ait en sa sainte garde, n'était pas grosse, ah, elle était en forme, peut-être même faisait-elle de la gymnastique », je lui dis qu'en effet elle faisait beaucoup de gymnastique, et Remedios, qui prétendait avoir un regard d'aigle, fut ravie d'avoir deviné. « Voyons si vous pouvez me le finir pour demain. — Ne vous inquiétez pas, je le passe à la machine ce soir même », et elle sourit d'un air malicieux. Il fallait être aveugle pour ne pas voir, dit-elle, que je voulais me faire belle pour accueillir mon mari, n'est-ce pas ? « Mais c'est bien naturel, renchérit-elle sans attendre de réponse, vous avez archi-raison, il n'y a pas que les chagrins dans la vie. »

Je ne pensais pas à Tomás, mais au grand-père, quand j'eus enfilé ce tailleur et quand, juste après être rentrée du travail, j'ouvris le coffre à bijoux où elle rangeait ses broches, ses bagues et ses pendants d'oreilles, alignés dans les rainures du capitonnage, je les essayai les uns après les autres comme j'essayai des coiffures, par exemple le chignon à demi défait qui la mettait si bien en valeur. Je m'approchai du miroir et je me sentis prête à affronter l'épreuve, qu'est-ce que j'attendais ? Je prononçai lentement : « Le secret du bonheur, père, est de ne pas insister », je ne m'en sortais pas trop mal.

Jusqu'au jour où, à huit heures, habillée, coiffée et parée, je m'approchai du téléphone d'un pas décidé et découvris, ô surprise, qu'il était déjà là, à l'autre bout du fil, avant que j'aie pu composer le premier chiffre, la voix recherchée, cette voix que mon imagination associait à une couleur bleu métallisé.

— Allô... Ramiro Núñez à l'appareil... Mademoiselle Soler ?

— Oui, c'est moi. Quel hasard ! J'allais vous appeler à l'instant même, j'avais décroché... Pure télépathie, on dirait ?

Je fus étonnée par la confiance et le naturel avec lesquels j'étais capable de lui parler, cela m'arrive chaque fois que je me trouve jolie, j'avais un miroir devant moi. Mais je sortis vite de mon image, car je voulais préciser la sienne à peine ébauchée, je ne savais même pas d'où il m'appelait. « Il est du genre à prendre son temps avant de se décider », me souvins-je. Mais son silence m'inquiétait.

— Bref, j'allais vous appeler, parce que... Vous avez reçu ma lettre ?

— Oui, il y a trois jours.

— Bon, vous avez vu que de mon côté il n'y pas d'obstacle. Si vous me donnez le feu vert, j'étais sur le point d'aller rendre visite au grand-père, je ne crois pas qu'il soit trop tard, qu'en pensez-vous ?

— C'est oui, répondit-il d'un ton tranchant. Venez le plus vite possible, nous parlerons. Je vous attends.

Le bleu métallisé s'était dépouillé de ses reflets mystérieux. J'entendais une voix sérieuse, médicale, qui n'était mélangée à rien d'autre.

— Qu'arrive-t-il ? demandai-je.

— Je vous le raconterai tout à l'heure. C'est passé. Mais venez. Votre grand-père vous a demandée. Je vous attendrai dans le jardin. Vous en avez pour combien de temps ?

— Tout dépend de la circulation.

En effet, il m'attendait dehors et il fumait, assis sur un banc du jardin. Le grand-père, après la lecture de ma lettre, était tombé dans un mutisme complet, refusant même obstinément de manger et de prendre ses médicaments ; il suivait, m'avait-on dit, un traitement pour le cœur. Il ne voulait plus de visites dans sa chambre, prenant une attitude outrée et revêche, mais sans prononcer un seul mot. La veille au soir il avait eu une légère embolie, avec des symptômes d'aphasie.

— Autrement dit, l'interrompis-je, il ne parlait pas, parce qu'il ne pouvait pas.

— Exactement.

— Comment fait-on la différence entre ces deux états ? Par les gestes ?

222

— Oui, ce sont des gestes machinaux, d'oppression, d'obstruction ; nous les connaissons bien. Le malade souffre beaucoup quand il comprend qu'il ne peut pas parler, qu'il n'a plus de voix, alors lui viennent à l'esprit toutes les choses qu'il voudrait dire, elles battent des ailes comme dans une boule de cristal à l'intérieur de laquelle on aurait fait le vide. Je crois que dans ces moments-là, on doit comprendre ce que signifie l'air qui passe sur les cordes vocales, quand il entre et sort des poumons sans rencontrer d'obstacle.

Je respirai un grand coup et, en lui répondant, je fus aussi attentive à mes propos qu'au miracle d'entendre ma propre voix.

— Il en est ainsi de tous les privilèges, dis-je, nous les prenons pour des jouets dont on peut se permettre le luxe de se passer, mais cela ne dure que tant qu'on ne nous les a pas enlevés. Et vous dites que le grand-père s'est remis à parler ?

— À la fin, il s'est remis à parler, en effet. Il y a deux heures. Et la première chose qu'il a dite, c'est qu'il voulait se lever et qu'il fallait vous appeler.

— Moi ou elle ?

— C'est-à-dire... Il a dit : « Qu'Agueda vienne. »

Il y eut un court silence. Le soir tombait, bientôt les grillons se mettraient à chanter. Au loin, comme la première fois que j'étais venue, se profilait le Valle de los Caídos, mais il n'y avait pas une lumière d'orage. Les jambes de l'homme de haute taille assis sur le banc à côté de moi n'étaient pas non plus les mêmes. C'étaient celles du médecin chargé de soigner mon grand-père, sa proximité n'était le héraut d'aucun orage. Je le regardai.

— Ce n'est pas un détail qui peut nous aider à y voir clair, mon cher docteur. Je m'appelle aussi Agueda. Il a dit autre chose ?

— Oui, beaucoup d'autres. Mais qui n'avaient ni queue ni tête. Je crains qu'il ne soit entré dans un processus irréversible de dérèglement mental. C'est peut-être l'annonce d'une nouvelle attaque, plus forte.

Je ne savais que répondre. Soudain, je me sentis effrayée à l'idée de cette visite. J'avais besoin d'un surcroît d'énergie. Je le cherchai dans le regard de Ramiro Núñez, dans ses yeux sérieux.

— Que me suggérez-vous ?

— D'aller le voir, évidemment, mais de ne pas rester trop longtemps. Je monterai vous chercher dans une demi-heure. Allons-y.

Nous nous étions levés, il me prit par le coude.

— Mais comment dois-je lui parler ? Dois-je m'en tenir à ce qu'il va me dire ? Je ne sais pas, j'ai peur que ma lettre...

— Avec votre lettre, coupa-t-il, vous avez joué la bonne carte, nous ne pouvions espérer mieux, vous avez été très courageuse, mademoiselle Soler, de la poser sur la table. D'ailleurs, c'est moi qui avais suggéré le jeu. Par conséquent, ce serait à moi d'éprouver des remords. Mais oublions cela, car il n'est plus question de jouer. La vie de don Basilio touche à sa fin, vous devez affronter cette évidence et agir en fonction de votre cœur. Son bateau désormais est sans timonier.

Nous entrâmes dans le bâtiment, il m'accompagna jusqu'à la porte de la chambre 309 et s'arrêta quelques instants, avant de frapper. Il me regarda intensément.

— Vous ne paraissez pas être la même que la semaine dernière, dit-il, permettez-moi de vous féliciter.

Je baissai la tête.

— Bien sûr, je me suis déguisée, je suis ma mère.

— Si vous croyez que je parle de cela, vous vous trompez. Vous n'êtes absolument pas déguisée. Bien au contraire. Je ne veux pas dire non plus que vous paraissez plus ou moins jolie que l'autre jour. Mais je me trouve tout à coup devant une personne qui ne se cache pas, qui va droit au but, devant une personne pour de vrai. Et je sais qu'elle serait ravie de vous voir ainsi, telle que je vous vois.

— Merci de me le dire, dis-je et retenant à grand-peine mon émotion. Nous frappons ?

— Oui, murmura-t-il. S'il y a quoi que ce soit, vous avez une sonnette juste à côté de la table de nuit. Je ne serai pas très loin.

La main droite de Ramiro Núñez se posa fugacement sur mon épaule, et je sentis une pression amicale d'encouragement. Aussitôt après, les doigts de cette main frappaient délicatement à la porte.

— On peut entrer, don Basilio ? Agueda est arrivée.

— Entrez ! dit à l'intérieur la voix du grand-père.

Ramiro m'ouvrit et s'effaça pour me laisser passer, sans franchir le seuil.

— Je la laisse avec vous un petit moment, dit-il d'une voix assez haute. Mais vous ne devez pas vous fatiguer, compris ? À tout à l'heure.

Puis il referma et j'entendis ses pas s'éloigner dans le couloir.

Le grand-père me tournait le dos, assis dans un fauteuil, calé dans des coussins, et il ne se retourna pas en m'entendant entrer. J'avançais, un peu oppressée. Il n'avait pas perdu ses cheveux et gardait fière allure.

Il semblait parler tout seul. Quand mon angle de vision me permit de reconnaître le profil crochu de son nez sous la broussaille de ses sourcils, je constatai qu'effectivement il émettait des sons confus, presque inaudibles ; il ne manifestait aucun intérêt pour ma présence, alors qu'il avait formulé une autorisation expresse pour l'accepter. Son clair « entrez ! » contrastait avec cette bouillie informe de syllabes qu'il mâchonnait. Je m'arrêtai, sur mes gardes comme devant une embuscade ; n'essayait-il pas de me désorienter, de me mettre à l'épreuve ? Parfois, un rien de susceptibilité

225

m'incite à me méfier des autres en leur prêtant mes idées tordues, mais en l'occurrence le transfert était légitimement fondé, en raison du lien de parenté, au bout du compte il était toujours mon grand-père. Il parvenait, on ne pouvait le nier, à me rendre nerveuse. Et le pire, comme chaque fois que je deviens nerveuse, c'est que je ne savais où mettre mes mains. Elles étaient en trop. Et quand je le lui dis à haute voix, tel quel, sans y mettre les formes, simplement parce que je ne pouvais continuer d'être silencieuse, je sus que je jetais en l'air la première pièce. Et que je devenais soudain cette gamine qui ouvrait un rideau rouge, pointait le nez dans le bureau du grand-père, qui voulait qu'il le sache, qui cherchait à attirer son attention et à l'interrompre dans ses méditations.

— Je ne sais pas, je te l'avoue, où mettre mes mains. Parfois, ce sont des appendices inutiles. Voilà pourquoi on fume. Toi, quand tu dors, où les mets-tu ? Sur les draps, ou dessous ?

Une excroissance de la plus pure espèce, qui n'engageait à rien. Mais je remarquai qu'il avait réussi à gommer ce bourdonnement de grosse mouche qui sortait de ses lèvres. Quand il commença à parler plus haut, il avait beau persister à ne pas me regarder, il était établi que la personne qui prêtait le flanc au délire, c'était moi. Autrement dit, ignorer ma présence dans sa chambre était un leurre et un piège. Je souris. Bon, au moins nous allions peut-être nous amuser. Je n'avais aucune envie de le traiter comme un moribond. Tout simplement.

— Les mains jour et nuit sur le tapis du jeu des petits chevaux, dit-il, je le sors et je dispose les pions, ils rebondissent, certains tombent, Alfredo veut bien jouer avec les jaunes, encore plus vicieux que moi, mauvaise couleur, je vous le dis, qui commence ? le bruit du godet, les mains occupées, les rouges et les bleus pour moi, don Claudio aimait bien les verts, mais les jaunes, « vade retro ! » pas fou, les jaunes pour toi, Alfredo, vu que tu t'en moques, et pourtant le jaune attire le mauvais œil, je le lui dis toujours, rappelle-toi Molière, mais lui, pas question, les superstitions sont des sornettes, le mauvais œil peut entrer partout ou n'entrer nulle part, comme le bon, en cela il a raison, mais je ne veux pas le reconnaître, il n'a pas lu Molière. Que de temps perdu à jouer aux petits chevaux ! À cause d'eux, nous perdons toute la sciure et nos mains s'évaporent, encore un six, en voilà un que je t'ai mangé, à la maison, je compte vingt et par-dessus le marché je mange le vert de don Claudio qui allait arriver à bon port. Il n'y a rien de sûr, même pas les petits chevaux, les morsures nous viennent de là, ils nous mangent sans laisser de traces, et tout cela pourquoi ? pour avoir les mains occupées..., et tous ces articles de l'*Espasa* qui n'ont pas encore été lus. On le paie cher, de ne pas savoir où mettre ses mains. C'est un piège, ne tends pas de piège, Alfredo.

J'entrepris de traquer la forme invisible de ce joueur, il n'y avait pas trace de lui, seules brillaient comme des pièces d'or dans l'obscurité les pions jaunes. Je me sentais entraînée par le grand-père dans une danse fantomatique.

— Tu joues toujours aux petits chevaux avec Alfredo ?

Il ne répondit pas tout de suite.

— Il ne vient plus, dit-il, je l'appelle tous les soirs, quand je m'ennuie beaucoup. Mais il ne vient plus. Et jouer seul, c'est comme de réciter une comptine, cela ne m'aide même pas à m'endormir...

J'étais toujours debout, je n'avais pas dépassé son fauteuil. Par la fenêtre, qu'il fixait des yeux, on voyait la nuit tomber. Nous étions presque dans la pénombre.

Je m'agenouillai à côté de lui. J'avais besoin qu'il me regarde. Une de ses mains, qu'il ne savait où mettre, s'éleva, vainquant une obscure résistance, jusqu'à l'accoudoir du fauteuil où elle se posa comme un oiseau sans destination qui, peu à peu, retrouve la chaleur d'un nouveau nid.

— Ne te casse pas la tête, petit père, dis-je en esquissant une ébauche de caresse sur sa manche. Le secret du bonheur réside dans le fait de ne pas insister.

Alors, en guise de réponse, une main osseuse vint recouvrir la mienne. Elle n'émettait aucune chaleur. Pas plus que sa voix, qui accourut au rendez-vous différé, un peu spectrale.

— Tu disais cela après ton voyage de noces, dit-il lentement. Et ensuite, regarde, il est arrivé ce qui est arrivé.

Je sentis que je devais me mettre sur la défensive, ça, c'était un coup en traître : et je réagis viscéralement. Ce monsieur n'allait pas s'en prendre à mon père, pas question. Je savais qu'ils ne s'étaient jamais entendus.

— Je n'ai rien à regarder ! dis-je exaltée, tandis que j'esquivais le contact froid de cette main. Laisse Ismael tranquille. À quoi penses-tu ? Qu'est-il arrivé ?

— Rien, ne t'énerve pas, c'est toi qui insistais... parce qu'il t'avait complètement tourné la tête, à toi qui te moquais tellement de l'amour !

— Mais j'ai insisté pour quoi faire ? Vas-y, dis-le-moi... Pour quoi faire ?

— Pour qu'il te comprenne... Et il ne te comprenait pas... Il ne t'a jamais comprise..., on ne peut demander des poires au peuplier.

Derrière la fenêtre quelques étoiles se mettaient à briller. Je les observais, songeuse. J'avais du mal à imaginer Agueda Luengo terrassée par l'amour, implorant en le secouant violemment les fruits de ce peuplier, mais je trouvais que c'était par ailleurs une fantaisie rédemptrice, de celles qui aident à mieux respirer. Quand je retrouvai la parole, ma voix s'était adoucie.

— Moi non plus, petit père, dis-je lentement, savourant ce que je disais. Moi non plus, je ne l'ai jamais compris. Il est très difficile de comprendre les autres. Surtout quand on est amoureux.

Il me regarda, les yeux plissés. Je faillis lui proposer les grosses lunettes posées sur un tome de l'*Espasa*, mais je me retins, redoutant qu'il voie mes propres contours, un visage décomposé après avoir brisé un vase par terre, indigne de toi, *honey*, pourquoi les choses se mélangent-elles en moi de cette façon ? Son silence m'impressionnait. Nous marchions en terrain marécageux.

— Et alors, voyons voir, qui t'a demandé de retomber amoureuse ? lâcha-t-il inopinément.

Une allusion à ce que je lui avais dit dans ma lettre. Roque se dissipait. Mais j'allais devoir inventer une autre histoire. Je haussai les épaules. Je sortais d'un labyrinthe pour entrer dans un autre.

— Pas besoin de le demander, répondis-je évasivement. Ce sont des choses qui arrivent, c'est tout.

Sur ma tête penchée, appuyée maintenant sur l'accoudoir de ce fauteuil usé et anonyme, je sentis soudain la main du grand-père qui palpait lentement mes cheveux noués. Une manœuvre furtive. Je retins mon souffle.

— Tu es drôlement coiffée, dit-il. Ton nouveau fiancé aime cette coiffure ?

— Je ne sais pas, répondis-je dans un filet de voix. Il y a une semaine que nous ne nous sommes pas vus. Il est en déplacement.

— En déplacement ? Qu'est-ce qu'il fait ?

— Il est architecte.

Quel soulagement de pouvoir parler de Tomás avec le grand-père, j'en avais assez des labyrinthes.

— Architecte ? Fort bien, tu aimes ça.

— Oui, et lui aussi je l'aime, tu sais. Sa façon d'être, avec les années une chose que j'apprécie beaucoup, en catalan on appelle cela « *tarannà* », le caractère, trouver un caractère qui s'harmonise avec le mien, le corps a aussi son importance, bien sûr, mais il n'y a pas que ça à regarder ! Avant, je me fiais davantage au corps qu'au caractère. Tu sais combien je suis difficile à aimer, je ne supporte pas les gens collants, mais les indifférents non plus ; or Tomás... il s'appelle Tomás... bon, ma foi, je crois que j'ai trouvé l'homme de ma vie. Et puis il m'encourage dans mon travail...

Le grand-père gardait le silence. Il continuait de me caresser la tête, avec plus de franchise, avec plus de sagesse. Mais il réagit là où je ne l'attendais pas.

— C'est à elle que tu devrais le dire, reprit-il après une pause. Tu dis qu'elle est détachée, que tes histoires ne lui font ni chaud ni froid, mais tu peux te tromper, elle a sûrement besoin de toi plus que nous ne le pensons, que rien ne s'interpose entre elle et toi... c'est tout ce que j'ai à te dire, l'essentiel avant tout. Sinon, ce n'était pas la peine de la mettre au monde.

— Ne pas la mettre au monde ? Tu es fou ? – le cri du cœur. Pour moi c'est l'essentiel ! Entre elle et moi rien ne s'interpose, ni rien ni personne, si tu veux savoir ! ma fille est ce que j'aime le plus au monde...

J'avais la voix presque voilée par les larmes.

— Alors dis-le-lui, coupa-t-il, dis-lui aussi cela, c'est à elle de le savoir, pas à moi, dis-le-lui tel quel, comme tu me le dis...

— Mais je le lui ai déjà dit ! ! ! m'exclamai-je sur un ton délirant qui échappait totalement à mon contrôle.

J'essayai aussitôt de me calmer. Je fermai les yeux. Ils me brûlaient, sillonnés par des couleuvres de feu. Ce que je désirais le plus, c'était crier « grand-père ! », je savais qu'en prononçant ces deux mots je briserais le maléfice, mais ils ne venaient pas, je les prononçais intérieurement, et ils éclataient en mille morceaux incandescents, grand-père, grand-père...

Maintenant, il avait cessé de me caresser, il exerçait un pouvoir malin sur moi, quelle épreuve était-il en train de me préparer ? De nouveau le cinéma, le souvenir soudain de films comme *Luz de gas*... Et j'eus l'envie presque irrésistible d'entendre mon nom, enfin, sur ses lèvres.

— Agueda.

Je respirai à fond.

— Je t'écoute.

— Tu te souviens de ce billet de train ? Tu l'as toujours ?

Cela ressemblait à une question importante. Genre examen de passage. Et je fus incapable de dire : « Écoute, grand-père, je m'avoue vaincue, je n'ai pas étudié cette leçon, tu as gagné. » Au contraire, je me redressai et ravalai ma salive.

— Tu sais, je n'aime pas beaucoup garder les vieux papiers, dis-je, mais bien sûr que je m'en souviens, voyons, il doit être chez moi.

J'avais osé le regarder et je vis qu'il souriait. Il est difficile d'abuser un loup de la même couvée. Lui non plus ne m'abusait pas en jouant les fous. Et quand il entreprit de me résumer brièvement la leçon sur laquelle je venais de sécher, je sus qu'il ne parlait plus à Agueda Luengo, plus maintenant, même s'il faisait encore semblant.

— Le train a déraillé et il a failli tomber dans un ravin, nous n'avions pas une égratignure, pourtant il y avait des blessés graves, notre wagon était au bord de l'abîme, s'il était tombé, alors adieu, aucun de nous ne serait ici, ta mère, tu te rends compte, à sept mois, son premier réflexe a été de prendre son ventre à deux mains, de te tenir, bien sûr, et de me rassurer aussitôt, ne regarde pas dans le ravin, Basilio, c'est pire de regarder, tous les trois suspendus dans le vide ; nous sommes tous nés ce jour-là, une secousse de plus et c'était fini, plus aucune trace, tu te rends compte ? Aucun de nous ne serait ici, ni moi, ni toi, ni ta fille, ni les enfants qu'elle peut avoir...

Je me levai, résolue, je n'en pouvais plus. J'allumai brusquement la lumière, tendis ses lunettes au grand-père et me plantai devant lui.

— Ni ma fille ? Nous allons parler clair ! Quelle fille, si on peut savoir ? Regarde-moi. Quelle fille ?

Il ne voulait pas prendre ses lunettes, il se débattait comme un insecte attrapé. J'éprouvai alors des remords. Il se boucha les yeux avec le bras gauche et me repoussa avec le droit comme une vision diabolique.

— J'ai dit la tienne ! Ta fille. C'est tout. Ne me tire pas les vers du nez, maudite... Éteins la lumière, je ne peux pas, éteins, éteins, éteins...

J'éteignis immédiatement, mais il ne se calma pas. Son corps tremblait, il s'accrocha aux bras du fauteuil et se mit à grommeler des sons confus après cette succession de « éteins », à respirer avec difficulté, au milieu des râles, c'est alors que je compris qu'il voulait continuer de parler, mais qu'il en était empêché. Une nouvelle attaque. Une vraie, cette fois. Et c'est moi qui l'avais provoquée.

Je me précipitai vers la table de nuit, cherchai la sonnette à tâtons et la pressai plusieurs fois. Puis je sortis dans le couloir, sans tenir compte des gestes qu'il faisait, me semblait-il, pour me retenir.

Je ne fermai pas la porte. Je restai là, sur le seuil, surveillant l'intérieur et l'extérieur. Ramiro Núñez ne se fit pas attendre, il apparut au bout du couloir, accompagné d'une infirmière. Ils marchaient vite mais en cadence. On aurait dit des robots. Ils portaient plusieurs appareils.

— Que s'est-il passé ?

— Je ne sais pas, je crois que son état a empiré. C'est de ma faute. J'ai besoin d'air.

— Calmez-vous. Descendez au jardin.

Ils entrèrent, allumèrent et je vis qu'ils le soulevaient délicatement pour l'étendre. Il s'agitait. Il opposait de la résistance.

Je revins prendre mon sac et, alors que je m'apprêtais à ressortir, je vis sur la table, à côté de l'*Espasa*, la lettre que j'avais écrite au grand-père le soir du village indien. Autour, il y avait trois ou quatre boulettes de papier froissé, des brouillons que l'on jette. J'en pris une en cachette. Ils déshabillaient le grand-père. Je le regardai du coin de l'œil. On aurait dit un fakir.

— Docteur, j'attends en bas. Ne tardez pas, s'il vous plaît.

Il me rejoignit assez vite dans le jardin. Il me trouva en train de fumer. J'avais pris le temps de déchiffrer et d'apprendre par cœur ce message du grand-père, écrit d'une écriture tremblante avant d'être détruit : *Je crois que moi aussi je vais rejoindre ce pays où la poste fonctionne mal*, disait-il. *Je ne sais si je pourrai t'écrire.*

Ramiro Núñez ne put rester longtemps avec moi. Il me dit que don Basilio réagissait et qu'il pouvait se tirer de cette attaque comme il s'était tiré de la précédente ; je pouvais rentrer chez moi, il me tiendrait au courant. Il me demanda aussi si j'avais pu m'entretenir avec lui de façon cohérente.

— Ce serait trop long à raconter, lui dis-je. Et je ne sais même pas si vous pourriez le comprendre. Au fond, il s'agit de labyrinthes familiaux. Je ne vous dirai qu'une chose : peut-être va-t-il se fracasser ce soir ou dans un an, mais ce bateau, docteur, a un timonier.

Quand j'arrivai chez moi, Tomás était déjà rentré. De plus, il m'attendait, car dès qu'il entendit le bruit de la clé, il m'ouvrit la porte. Cela me parut tout à fait naturel et mérité, et je lui sautai au cou, incapable de dire autre chose que son nom. Mais c'était beaucoup, car cela rétablissait une évidence confirmée par le toucher, l'odeur et la réponse à mes embrassades. Lui non plus ne prononçait pas un mot. Quand nous nous séparâmes pour nous regarder, je vis qu'il était sérieux.

— Ton grand-père est mort, dit-il. Le médecin qui le soigne vient d'appeler. Tu en viens, n'est-ce pas ?

Nous entrâmes, et je me laissai tomber dans le canapé de la salle de séjour, j'enlevai mes chaussures à talon et toutes les épingles qui servaient d'échafaudage à cette coiffure qui n'était pas la mienne. Puis je secouai la tête en arrière et mes cheveux tombèrent dans le dos. J'avais la nuque douloureuse. Je la palpais du bout des doigts. Debout devant moi, Tomás me contemplait avec étonnement, mais il y avait une lueur de volupté dans ses yeux.

— Je ne t'avais jamais vue aussi jolie, jamais de la vie. Mais je t'en prie, ne pleure pas, ajouta-t-il en s'agenouillant à mes pieds. Tu ne voyais pas beaucoup le grand-père, n'est-ce pas ? Et puis je suis revenu. Demain, je t'accompagnerai à l'enterrement, je t'aiderai à remplir les paperasses, ne pleure pas, je t'en prie.

Il s'assit à côté de moi sur le canapé, je changeai de position et nous commençâmes de nous embrasser.

— Heureusement que tu es revenu, j'avais si envie de te voir, et quelle envie ! J'en ai assez de la mort, assez d'hériter d'histoires qui ne m'appartiennent pas, assez des mensonges, je ne veux voir que toi, être moi pour tes yeux, pour ta vie... Le monde entier me gêne, je ne supporte plus d'ombres entre toi et moi...

Cette nuit-là, je me retrouvai enceinte.

ÉPILOGUE

Aujourd'hui, je me suis réveillée très tôt, j'ai vu que Tomás et la petite continuaient de dormir et je suis descendue sans bruit pour me faire un café. Maintenant, nous vivons dans le duplex, mais tellement transformé que maman, si elle relevait la tête, ne le reconnaîtrait pas. J'y pense en contemplant les détails de cette vaste et lumineuse cuisine-salle-à-manger dessinée par Tomás et j'attends les glouglous de la cafetière. J'avais beau trouver grande cette partie d'en bas quand c'était un seul espace, je n'aurais jamais cru qu'on pourrait en tirer, outre la cuisine, un grand *living*, un bureau, une chambre d'amis avec salle de bains, plusieurs débarras et une dépense. Les chambres à coucher et la salle de jeux de Cecilia sont en haut. Ma fille s'appelle Cecilia. Elle a un an et demi.

Noël dans trois jours. Aujourd'hui, c'est dimanche et j'ai dû allumer la lumière. Une brume épaisse cache les maisons d'en face.

Je ferme le gaz, car le café est prêt. Je me sers et l'emporte sur un plateau dans un angle, sur un petit secrétaire installé à la cuisine. Une idée de Tomás. Il veut que, si l'inspiration me visite quand je prépare la cuisine ou donne à manger à Cecilia, j'aie à portée de la main un lieu où poser mes livres et mes cahiers sans qu'ils se couvrent de yaourt.

Il y a une semaine, je me suis remise à l'histoire de Vidal y Villalba, et j'aime y jeter un coup d'œil le matin. C'est une sorte d'exercice de mémoire. Le 14 octobre 1788, encore dans la prison de Madrid, il déclara à don Blas de Hinojosa qu'il ne trouvait pas assez de force dans sa tête pour continuer sa confession « avec le sérieux qu'il lui accordait ». Je cherche, tout en savourant avec plaisir ce premier café du matin, le rapport de don Blas au gouvernement, qui se défie du prétendu manque de mémoire de l'accusé, lequel s'accuse lui-même de manque de sagesse,

> ... mais les réponses délirantes de sa déposition, écrit Hinojosa à Floridabanca, ont une telle cohérence entre elles qu'elles prouvent qu'elles sont méditées et pensées pour convaincre de sa folie, alors que l'accusé a tout son bon sens. Pour obliger cet homme à cesser de feindre, pour expédier son procès, vu sa ténacité j'ai ordonné qu'on lui mette deux fers traversés par des menottes, les traitements ordinaires dans ces cas-là. Mais son intention déclarée étant de s'ôter la vie, il n'a pas voulu bouger de l'endroit où il était assis, même pour satisfaire ses besoins corporels...

J'interromps ma lecture, car j'ai entendu la porte d'en haut, je me lève et je vais jusqu'au pied de l'escalier.

Cecilia descend doucement, s'accrochant aux barreaux de la rampe. Elle porte un pyjama à rayures bleues, son préféré. Elle s'arrête et nous nous regardons.

— Où ? demande-t-elle avec beaucoup de curiosité.

Je cherche le chat des yeux, il somnole sur un vieux coussin. Je suppose qu'elle veut parler de lui, car ils sont très amis.

— Là, regarde, lui dis-je en le désignant du doigt.

Gérondif ouvre un œil paresseux et le referme. Cecilia ne manifeste pas davantage d'enthousiasme, elle se contente de dire « chat » sur un ton distrait, elle continue de descendre les marches et arrive auprès de moi. Elle lève les mains en l'air comme si elle explorait un phénomène invisible pour moi.

— Où ? répète-t-elle.

Je la prends dans mes bras et nous nous approchons de la fenêtre, joue contre joue.

— Loin, lui dis-je, on ne voit rien parce qu'il y a de la brume. Au-delà.

Sa main décrit un geste circulaire et lent, comme si elle voulait tout explorer, tout embrasser.

Madrid – New York – El Boalo
Décembre 1994 – avril 1996

TABLE

Déjà parus :

Walter Abish, *Les esprits se rencontrent*
Walter Abish, *Eclipse Fever*
Miroslav Acímovíc, *La porte secrète*
Bai Xianyong, *Garçons de cristal*
Bai Xianyong, *Gens de Taïpei*
John Banville, *Kepler*
John Banville, *Le livre des aveux*
John Banville, *Le monde d'or*
John Banville, *La lettre de Newton*
John Banville, *L'Intouchable*
Jochen Beyse, *Ultraviolet*
Maxim Biller, *Ah! Si j'étais riche et mort*
Maxim Biller, *Au pays des pères et des traîtres*
Raul Brandão, *Humus*
Nicolae Breban, *Don Juan*
Philip Brebner, *Les mille et une douleurs*
A. S. Byatt, *Possession*
A. S. Byatt, *Des anges et des insectes*
A. S. Byatt, *Histoires pour Matisse*
A. S. Byatt, *La vierge dans le jardin*
Maria Cano Caunedo, *Le miroir aux Amériques*
Gianni Celati, *Narrateurs des plaines*
Gianni Celati, *Quatre nouvelles sur les apparences*
Gianni Celati, *L'almanach du paradis*
Evan S. Connell, *Mr. & Mrs. Bridge*
Avigdor Dagan, *Les bouffons du roi*
Paloma Díaz-Mas, *Le songe de Venise*
James Dickey, *Là-bas au nord*
E. L. Doctorow, *La machine d'eau de Manhattan*
Bruce Duffy, *Le monde tel que je l'ai trouvé*
Steve Erickson, *Les jours entre les nuits*
Steve Erickson, *Tours du cadran noir*
Richard Paul Evans, *Le coffret de Noël*
Alison Findlay-Johnson, *Les enfants de la désobéissance*
Connie May Fowler, *La cage en sucre*
Teolinda Gersão, *Le cheval de soleil*

Kaye Gibbons, *Histoires de faire de beaux rêves*
Kaye Gibbons, *Une sage femme*
Kaye Gibbons, *Signes extérieurs de gaieté*
William Gibson, *Isoru*
G.-A. Goldschmidt, *La ligne de fuite*
Manuela Gretkowska, *Le tarot de Paris*
Sahar Khalifa, *L'impasse de Bab Essaha*
Jessica Hagedorn, *Les mangeurs de chien*
Lennart Hagerfors, *L'homme du Sarek*
Lennart Hagerfors, *Les baleines du lac Tanganyika*
Lennart Hagerfors, *Le triomphe*
Werner Heiduczek, *Départs imprévus*
Alice Hoffman, *La lune tortue*
Michael Holroyd, *Carrington*
Keri Hulme, *The Bone People*
Huang Fan, *Le goût amer de la charité*
José Jiménez Lozano, *Les sandales d'argent*
José Jiménez Lozano, *Le grain de maïs rouge*
Anatole Kourtchatkine, *Moscou aller-retour*
Léonide Latynine, *Celui qui dort pendant la moisson*
David Leavitt, *À vos risques et périls*
David Leavitt, *Tendresses partagées*
David Leavitt, *L'art de la dissertation*
Lilian Lee, *Adieu ma concubine*
Lilian Lee, *La dernière princesse de Mandchourie*
Li Ang, *La femme du boucher*
Li Xiao, *Shanghai Triad*
Vladimir Makanine, *Le citoyen en fuite*
Carmen Martín Gaite, *La chambre du fond*
Carmen Martín Gaite, *Passages nuageux*
Carmen Martín Gaite, *La reine des neiges*
Luis Mateo Díez, *Les petites heures*
Luis Mateo Díez, *Le naufragé des Archives*
Terry McMillan, *Vénus dans la Vierge*
Terry McMillan, *Mama*
Terry McMillan, *Stella*
Anne Michaels, *La mémoire en fuite*
Alberto Moravia, *La femme-léopard*
Alberto Moravia, *Promenades africaines*
Alberto Moravia, *La polémique des poulpes*
Marcel Möring, *Le grand désir*
Jeff Noon, *Vurt*

Nico Orengo, *On a volé le Saint-Esprit*
Sandra Petrignani, *Trois fois rien*
Sandra Petrignani, *Navigation de Circé*
Agneta Pleijel, *Les guetteurs de vent*
Agneta Pleijel, *Fungi*
Fabrizia Ramondino, *Althénopis*
Fabrizia Ramondino, *Un jour et demi*
Patrick Roth, *Johnny Shines ou la résurrection des morts*
Juan José Saer, *Les grands paradis*
Juan José Saer, *Nadie, Nada, Nunca*
Juan José Saer, *Unité de lieu*
Juan José Saer, *L'ancêtre*
Juan José Saer, *L'anniversaire*
Juan José Saer, *L'occasion*
Juan José Saer, *L'ineffaçable*
Juan José Saer, *Quelque chose approche*
Steinunn Sigurdardóttir, *Le voleur de vie*
Elizabeth Smart, *J'ai vu Lexington Avenue se dissoudre dans mes larmes*
Lytton Stratchey, *Ermynstrude et Esmeralda*
Amy Tan, *Le club de la chance*
Adam Thorpe, *Ulverton*
Colm Tóibín, *Désormais notre exil*
Com Tóibín, *La Bruyère incendiée*
Colm Tóibín, *Bad Blood*
Colm Tóibín, *Histoire de la nuit*
Victoria Tokareva, *Le chat sur la route*
Victoria Tokareva, *Première tentative*
Victoria Tokareva, *Happy End*
Su Tong, *Épouses et concubines*
Su Tong, *Riz*
Tarjei Vesaas, *Le germe*
Tarjei Vesaas, *La maison dans les ténèbres*
Tran Vu, *Sous une pluie d'épines*
Paolo Volponi, *La planète irritable*
Paolo Volponi, *Le lanceur de javelot*
Wang Shuo, *Je suis ton papa*
Eudora Welty, *La mariée de l'Innisfallen*
Eudora Welty, *Les pommes d'or*
Eudora Welty, *Oncle Daniel le Généreux*
Mary Wesley, *La pelouse de camomille*
Mary Wesley, *Rose, sainte nitouche*
Mary Wesley, *Les raisons du cœur*

Cet ouvrage a été réalisé par la
SOCIÉTÉ NOUVELLE FIRMIN-DIDOT
Mesnil-sur-l'Estrée
pour le compte des Éditions Flammarion
en juin 1999